日下公人
Kusaka Kimindo

世界は沈没し日本が躍動する

最強の日本繁栄論

渡邉哲也
Watanabe Tetsuya

ビジネス社

はじめに　怒濤《どとう》の時代に輝く先人の知恵

本書は、二作目の日下公人先生との対談である。今回も出版社に無理を言って、日下先生との対談をお願いし、先生のご厚意でご快諾いただいた。

令和の時代となり、昭和は遠い世界となりつつある。しかし、昭和こそが今の日本の原型であり、悲しい歴史もあったと同時に近年では日本が最も輝いた時代でもあった。

戦後の混乱、高度成長、バブル経済と大きな変革を示し、それは現在の日本の礎にもなっている。そして、平成に入り、ベルリンの壁崩壊、ソビエト崩壊、中国の改革開放路線への転換と東側体制が崩壊し、日本はグローバリズムの世界へと引きずり込まれていった。

ボーダレス、壁のない世界、異文化共生、これは日本を豊かにしたのだろうか？　経済優先主義、金融主導型社会、グローバル化、それは日本人をそして世界を幸せにしたのだろうか？　改めて立ち止まり、それを冷静に判断する。それには先人の知恵が必要であり、経済だけではなく、文化や生業に通じた人の教えが必要となる。

歴史は繰り返す、そして、人は過ちも繰り返す。同時に、長い地球の歴史から見れば一人の人間の一生は点にすぎず、それは大海に漂う塵《ちり》にすぎないのかもしれない。

しかし、だからといってよりよい世界を作ることを放棄することはできない。放棄すれば、自らの価値を捨てたことになるからである。そして、現在の私はそれを生業にしている。

私は学者でもなければ、官僚出身でもなく、政治家でもない。当然、特別な肩書もなく、学閥もなく、閨閥《けいばつ》もない。ある意味、野良の経済評論家である。

経済評論家、偉そうに聞こえるが、資格を必要とせず、誰でも自らそれを名乗ればなれるものである。言ってみれば、名乗るだけで誰でもなれる職業である。インターネットの誕生により、自ら発信しようと思えば簡単にできるわけであり、YouTube などを使えば、番組すらも作れてしまうのである。

しかし、残念ながらそれを生業にできるかは別であり、長きにわたり人々に愛され、お話を聞きたいと思わせる人は少ないのが現実である。それを可能にするには、単なる情報や知識だけではなく、その前提となる文化や歴史に対する理解と教養が必要であり、人に愛される人徳も必要なのだろう。

日下先生は、これを併せ持つ「究極の人たらし」であり、趣味人であり、「好好爺《こうこうや》」であると私は思う。

だからこそ、お話を拝聴する価値があり、知恵をお借りし、自らの糧とすべき先生なのだと思っている。

本書では、広い視点と長い時間軸、大きく俯瞰《ふかん》した世界観で今の日本と世界を見つめ、歴史や文化、地政学など、様々な軸から分析し、日本と世界を改善する指針を日下先生にいただいている。私も一人の生徒兼解説者として、先生に負けないように努力したつもりである。ぜひ、ご一読いただき、日下先生の生きた知恵を得ていただければ幸いである。単なる活字ではなく、文字を紙にして遺し、自らの所有物として持っておきたい本、これを目指したのが本書である。

令和二年一月吉日

渡邉哲也

世界は沈没し日本が躍動する——最強の日本繁栄論

目次

第二章 立派だった戦前の日本人

第三章　日本は世界よりも江戸から学べ

第四章 日本人への遺言、世界は日本を見習うようになる

おわりに

序章

沈没する世界、日本の躍動が始まる

日本のスポーツ選手が活躍する理由

渡邉　平成の三十年が終わり、令和の時代が始まりました。平成はバブル崩壊による日本の衰退、冷戦終結によるグローバリズムの拡大と中国の時代であったと言えるのだと思います。

しかしながら、平成も末期に入り、見直しが進み、ナショナリズムが勃興《ぼっこう》し、米中貿易戦争で中国のバブルも崩壊しようとしています。また、南シナ海島の軍事的緊張から「新冷戦」が始まり、米中どちらの陣営に付くのかという米国の踏み絵により、世界は再び分断されようとしています。当然、わが国日本も西側第二の先進国であり、メインプレイヤーの一人です。

そこで本書では、激動する国際情勢のなか、日本はどうすればリーダーになるのか、歴史を踏まえ中長期的な展望で日下先生と存分にお話しできればと思います。

まず、二〇一九年から二〇年にかけて、日本は外交のひのき舞台となります。御譲位に伴う各国来賓の訪日、G20、初のベスト8に入り大成功のうちに終わったラグビーワールドカップ、そしてオリンピックと、世界の首脳が最も集まる国になるわけです。

日下　ラクビーでも明らかなように、最近日本がとみに強くなったのはスポーツの世界です。試合を見ていると、一人ひとりの選手が自分の判断で動くようになってきた。監督の命令を待たずに、自分で判断しプレーする選手が目立つような気がします。ラグビーはもちろん、バレーボールでも野球でも。

以前はそうではなく、監督からがんじがらめの指示をされ、嫌なら交代させられていた。でも最近は、プロ野球のスター選手などは「嫌なら私はアメリカに行きます」ですから、さっぱりとして気持ちがいいですね。スポーツの風土が変わってきた、ということでしょうか。

ラグビーで言いますと、本家のイギリスのラグビーはオックスフォードにしろケンブリッジにしろ、もともとものすごく罰則がきつい。ルールが厳格。日本人は真面目だからルールをきちんと守るし、ルールをフル活用するのが元来得意だったという特性も有利に働いたのだと思います。

ラテン諸国もサッカーは個人技がハイレベルな強国ぞろいなのにラグビーはけっして強くない。法と秩序という概念がしっかりと存在する国や地域でないと、審判には絶対服従という厳しいルールがあるラグビーのような競技は根付かなかったということでしょうか。

私はまた、学術の世界でもこれからますます日本は世界をリードしていく強い立場に立てる可能性が出てきたと思っています。

ノーベル賞でいえば、一九八七年に利根川進氏が生理学医学賞、二〇一二年に山中伸弥氏が同賞を受賞後、一四年に青色発光ダイオードで天野浩、赤崎勇、中村修二（アメリカ国籍）の三氏が物理学賞を受賞。以来、医学生理学賞、一九年もリチウムイオン電池で旭化成の吉野彰氏が化学賞と受賞が続いています。今や日本人のノーベル受賞は年中行事の感があります。キリスト教世界では、医学の領域はいわば神の世界で、人間が手を突っ込んではいけないとされた時代が長かったのですが、元来その考えから解放されている日本のほうが自由な研究に邁進《まいしん》できます。

渡邉　ノーベル賞は一九四九年の湯川秀樹の物理学賞受賞から始まり七十年の蓄積がありますが、確かにスポーツは急激に強くなりましたよね。もともと日本は個人戦よりも団体戦が強いと言われてました。日本のラグビーを見ていてもそうだけど、各選手が非常にシステマティックに動いている。イギリスのＢＢＣが日本のラグビーを「エレクトロニックラグビー」、電子的なラグビーだと評しています。

ラグビーは非常に激しいスポーツですから、そもそもルールを厳格にしないと死人が出てしまいます。ですからルールを守れないし守る気もない中国と韓国はきっとラグビーは強くならないでしょう。

香港大乱に日本は何をしているのか

渡邉　日本はスポーツ選手や科学者は心配ないのですが、問題は政治、特に安全保障の問題です。

米国は香港人権法案を上下院ともに「全会一致」で可決しトランプ大統領が署名をし、成立しました。

これで九十日以内に、香港の人権状況を調査し、一国二制度が守られていない場合、香港の特別な地位――本土と違う関税や金融面、入国条件の優遇などを失う可能性があります。また、弾圧にかかわったものに対する制裁――銀行口座の凍結や廃止、入国拒否なども課される可能性があります。

中国はこの決定に猛反発していますが、香港人権法の上院での審議は、香港情勢を踏まえ通常の手続きではなく、緊急手続きにより審議され、なおかつ非常に速いスピードで可決に至りました。

また、全会一致ということで米国議会は強い意志を示しました。この審議に関して、中国側は制裁を辞さないとして抗議してきましたが、これを議会は圧力に屈しないと強く突っぱねた形です。

九十日以内の調査に関しても、下院の可決に伴い、すでに一部調査が始まっており、早い段階での制裁が課される可能性があります。

この米国の動きに英国も歩調を合わせています。元英国大使館職員が釈放され、中国当局による拷問を国際社会に訴えているのです。選挙中でなかなか動けない英国も中国への抗議の意思を示しており、英米連動での中国の人権問題への圧力強化が進む可能性が高いといえます。

五十年間の一国二制度の維持　これが香港返還時の条件であり、これが守られていないことで返還そのものが無効という国際法上の主張もできます。ただし、それは戦争を覚悟した行為であり、台湾問題も含め、アジアの不安定化がさらに進むと思われます。また、米国は南シナ海問題で中国と対峙《たいじ》するベトナムに対して、巡視艇などを提供するとして、周辺国からの圧力強化も進めています。

問題はわが国日本です。自由社会第二の国であり、世界第三位の経済大国日本、中国経済や中国の製造業も製造技術や基礎材料、生産機械等も日本企業が支えています。このような状況において、日本はどう対処するのか　明確な意思を示す必要があるでしょう。経済を犠牲にしても守るべきものがあるのではないでしょうか？　それなのに国会は桜を見る会問題に明け暮れてこの議論が行われていないことこそ、最大の問題であるといえます。

日下　同感です。香港区議選では民主派議員が八割近く占め、親中派は大惨敗しました。ただし区議会は立法権も予算もなく日本で言うところの民生委員のようなもので政治的に香港を変える力はない。しかし国際社会に香港の強い民意を示すことには成功しました。安倍さんは二〇二〇年に習近平《しゅうきんぺい》国家主席を国賓で迎える予定ですが、考え直したほうがいいでしょう。桜を見る会における与野党の泥仕合で香港から目を背けるなら、結局は中国を利するだけです。

渡邉　米国にとって自由は正義であり、「米国の正義」のためにずっと戦い続けてきた国です。今回の香港への対応はそれを象徴するものといえるのでしょう。そして注意しなければならないのは、米国が正義を持ち出してきたとき、それは「戦争の大義」にも変わるということです。世界情勢はさらに不安定化してきました。

日本にとって死活問題は「戦争には勝たなくてはいけない」ということです。経済戦争、金融戦争、軍事的衝突、それが何であろうとも勝つことこそが、日本の発展と維持の要になります。

言うまでもなく、戦争で最もやってはいけないことは、負けることであり、負ける戦争はしてはいけないのです。また、どちらつかずの蝙蝠《こうもり》外交も信頼を失う結果をもたらすため、やってはいけません。そして、ベストの選択肢は勝ち組に付くことです。第二次世界大戦以来、日本は敗戦国という十字架を背負い、様々なものを失ってきました。そして、優等生であり続けようとし戦うことを避けたがゆえに最悪の結果を招いた側面が多かった。

しかし、それはもう通用しない時代になった。この本質的理解をできるかどうかが次の時代の勝敗を決めるのだと思います。

台湾を見捨ててはいけない

日下　同感です。香港問題とからむことですが、日本の課題として忘れてならないのは台湾のことです。

台湾は中国のものなのか、それとも台湾は台湾のものなのか——という答えるのが難しい問題に対し、これまで日本は口を閉ざしてきた。

しかし、日本は戦前台湾を五十年間も領有しており、ポツダム宣言を受諾して領有権を国際的に放棄したとしても、長い領有の歴史に照らしあわせれば、台湾に対して何かを発言する権利と義務がある。それが歴史に対する責任というものでしょう。

現在、中国に約束を踏みにじられているとはいえ、イギリスは香港を返還するに当たって、様々な条件を付けました。

そのためにイギリスは中国と長い、真剣な交渉を続けました。ただ大陸に返すのではなく、香港の将来を見据えて、なおかつ自国の利益になるように、可能な限りの手を打ちました。それは、長く領有してきたことの後始末、というより、無責任に放り出すことはできないという、歴史的責任感だと言いますが、さて本当は何なのか、イギリスもわからないでしょう。その昔、日本はアッサリ返還しました。台湾の人は日本人はアッサリしていて良かったと今でも言っています。

渡邉　戦後の台湾は大陸から逃げてきた国民党政権が二・二八事件を引き起こし、以後白色テロの時代、反体制派に対して行った政治的弾圧が一九八七年まで続きました。そして蔣経国《しょうけいこく》のあとを継いで総統となった李登輝《りとうき》政権を経て現在の台湾に至るわけですが、その間民主主義を獲得するため「中国」と最前線で対峙してきました。

その台湾に対し、日中国交正常化を優先させ、日台断交に踏み切った日本政府の責任は大きい。もちろん、断交後も議員レベル、民間レベルでの友好関係は揺るぎないものがあります。台湾国民が最も好きな国は毎回日本が断トツの一位で、災害が起こったときに真っ先に支援を表明するのも台湾です。

地政学的にいっても日本にとって台湾は生命線であり、米中対立において一触即発になりかねない争点も台湾をめぐる問題です。日本に責任があるというのはおっしゃるとおりだと思います。

日下　私も総統となった李登輝さんとは何度かお会いしたことがあります。

京都大学で学び、もともとは農業や都市計画の専門家です。台北市長時代に、円山大飯店からまっすぐ南下する中央縦貫道路を作り、その巨大な道路上に百メートルごとに小公園を作りました。公園の周りには高層住宅を建設して近代都市の景観を整えました。

李登輝基金会にて（撮影：渡邉）

その李登輝さんが残念そうな顔をして私に言ったことがあります。

「台湾の人には、公共のものという観念が薄いのです。実に困ったことです。日本統治時代にはなかったことです」と。

事実、マンホールには「天下の公物」と書いてありました。「盗んではいけませんよ」ということです。そのころ中国大陸では市民がマンホールを叩き割って売っていました。中国から国民党軍が侵攻してきて、大量の本土人が移住してからこうなってしまったといいます。

私は「勝手にほっぽりだして、さっさと逃げてし

台湾事務所（撮影：渡邉）

まった日本も悪い」と思ったものです。「後のことは知らないよ」というのでは無責任すぎます。

外務省は「敗戦国の外交」には自ずと限界があるという理屈で、台湾には知らん顔。台湾を善導してなおも育て上げるという責務を放棄してしまった。

日華平和条約の文言があいまいだったことにも原因がありますが、朝鮮半島のみならず台湾や香港でゴタゴタが続くのは、日本の戦後処理が甘かったからです。

かつての領有国に国家のあるべき姿を教える義務と責任があるのではないかと考えるのも一理があります。台湾が独立して、日本に何か頼んできたときは相談にのってもいいと思いますが、いかがなものでしょう。

日華平和条約をよく読むと、台湾のことは台湾に任せるとだけ書いてあります。独立国・台湾が日本に親近感をもって何かを頼んできたら、中国の顔色をうかがったりせずに、堂々と頼みに応じたらいいのです。

日本が台湾をこのまま傍観し続けることは許されないと思います。

渡邉　そうですね。台湾は日本の安全保障の生命線であり、日本と価値観を共有できる最も大切な隣国です。日台断交という悲しい歴史がありますが、日本は台湾を中国の一部とは認めていない。

残念なのは、これを学校で教えず、間違った理解と解釈が横行し、既成事実化させようとする人がいることです。日中共同声明では、

「中華人民共和国政府は、台湾が中華人民共和国の領土の不可分の一部であることを重ねて表明する。日本国政府は、この中華人民共和国政府の立場を十分理解し、尊重し、ポツダム宣言第八項に基づく立場を堅持する」

としているだけで、「中国が台湾を中国の領土だ」と言っていることを理解し尊重するとしかしていないのです。

米国はここ数年、在台事務所を強化し、台湾旅行法やアジア安全保障イニシアチブ法を成立させ、台湾を守る意思を明確にしている。

日本も台湾特別法を作るなど、台湾の法的地位を明確にすべきだと思います。

「日本クラブ」設立のすすめ

渡邉　経済の問題に話を絞っても、G20終了を契機に世界中で対立が表面化しています。米国、中ロがどちらの体制を選ぶのか選択を迫るなかで、各国ともに揺れている。英米の連携が強まるとともに、ロシアによるEUの切り崩しも進んでいます。

また、英米とEUの対立も表面化、アジアでも新たな枠組み作りが進んでいる。日本が主導するTPPと中国が主導するRCEPどちらにも入るという選択は今のところありません。

日下　経済のグローバル化に対し、日本は生真面目にも全方位ですべての国と付き合おうとしましたが、そんな心優しい国際化論はどだい不可能です。アメリカのような強大無比であった国家でさえ「世界の警察」から手をひきました。

私はずいぶん前から「日本クラブ」設立のすすめを説いてきましたが、今でもその意見に変更はありません。全方位ですべての国と付き合う必要はまったくないし、ましてや中国や韓国など論外です。日本が日本の基準で、相手を選べばいいのです。

ようするに「日本的体質」を備えているか今は備えていないが、一生懸命備えようと努力する国々とだけお付き合いすればいい。

具体的に言うと、イデオロギー、宗教、ヘゲモニー（覇権）、独裁の四つの主義を捨て去り、平和、自由、民主、平等、中流の五つの主義を取り入れる国です。四つの主義を捨てて五つ取り入れるのだから「四捨五入」主義と呼んでいます。

たとえば台湾です。台湾には日本の会社がたくさん進出していますが、なぜ日本企業が台湾に行くかといえば、台湾人は日本人の気質をよく知っていて、安心して商売ができるからです。つまり「日本的取引」が通用する。

どこかの国のように最初に言ったことを平気で覆したり、横柄な態度をとったりする相手を日本人は嫌う。また欧米式のくどくどした契約や訴訟社会も本来苦手です。日本人は、ちょっとした無理が利くとか、含みが持てる関係を好む。「長期継続、反覆、埋め合わせあり」が日本人の発明した取引方法です。かつての日米構造協議における両国の食い違いも、この商習慣の違いによるものでした。海外からすればそれが「見えざる障壁」となる。後で詳しく論じたいと思いますが、日本は欧米発のグローバリズムに迎合し、日本式経営を捨ててしまった。これが問題です。

渡邉　ヒト・モノ・カネの移動を自由にするグローバリズムは中国とグローバル企業を巨大化させることに成功したわけですが、反グローバリズムにより、グローバル企業への締め付けが強化されようとしています。パナマ文書で表面化した租税回避がその典型ですが、各国の法律の違いを利用し、いいところ取りする形でそれぞれの国に税を払わない。インフラにただ乗りし、各国の地元企業を破壊してゆく、ＧＡＦＡ（グーグル、アップル、フェイスブック、アマゾン）などがその典型であり、各国は租税をかける方針で連携しています。

仮想通貨もプラットフォーマーも、ある意味、グローバリズムの生んだあだ花であり、それはグローバリズムが否定されれば成立しません。そして、それを最もうまく利用したのが中国といえるでしょう。ＷＴＯに入ることにより各国の貿易規制を回避し、国有企業の優位性を利用し、各国の地元産業を破壊、一方的にシェアを拡大し、規模の利益で各国を蹂躙《じゅうりん》してゆく。同時にそれにより得た資金で、各国に投資を行い、これまた自国のものにしてゆく。

ＧＡＦＡと中国の共通点は多く、帝国主義の変種といってもいいでしょう。しかし、それはそこに住む住民を豊かにはしない。安価な低賃金労働者の流入で、元来の住民の雇用が奪われ、産業も奪われてゆく、そして、インフラを支配することで安定的な地位を築くわけです。ファーウェイもそう。これを否定する動きがトランプ誕生であり、各国のナショナリズム政党の躍進ということになるのだと思います。そして、それを多くの人が支持しているのです。

日本と韓国の問題もこの一部としてみることもできるのでしょう。

韓国はいらない

日下　韓国で韓国人の教授ら六人が「徴用工」や「慰安婦」についての韓国側の歴史認識を否定した本（『反日種族主義』）が一三万部を越えるベストセラーになったのには驚きました。日本語に翻訳されたものも四〇万部を突破しています。定価一六〇〇円もして三〇〇ページ以上ある本が。これは異例の売れ行きと言っていいでしょう。ようやく日本人も気がついた。

渡邉 メディアは嫌韓＝ヘイト＝ネトウヨと一部の日本人の問題に矮小化《わいしょう》してきましたが、大半の国民が韓国の異常さに気づいたし、怒っているのだと思います。それをまだ「嫌韓」というのか見ものです。韓国で買っているのは三十代が中心のようですが、失業問題でも一番割りを食ってるのが若者ですから、文在寅《ムンジェイン》政権への反発も強いのだと思います。

ただ、だからといってあの国が変わると思えない。しかし少なくとも日本は変わると思います。土壇場でのＧＳＯＭＩＡ破棄の撤回にしても、日本政府の一貫した戦略的無視が効きました。七割近い国民もこれを支持しています。日本側のパーフェクトゲームと言っていい勝利なのになぜか韓国では自分たちの外交が勝利したと騒いでいます。

日下 だから無視すればいいんですね。または相手のやり方で恥をかかせなくてはいけない。

渡邉 挙げ句の果てに彼らの最終的な言い分は「韓国に愛はないのか！」ですからね（笑）。あるわけがない。

ところで、ＧＳＯＭＩＡは本来一年ごとの更新であり、更新しない場合、更新日の九十日前までに文書で通告することになっています。文書での通告は行われていますので、形式上は破棄が成立している形になります。

前代未聞の「決定の停止」がどのような扱いになるのかは不明ですが、両政府の合意の下で効力は継続しているということになるのでしょう。

そして、韓国は輸出管理のWTOへの提訴を取り下げ、日本との輸出協議に合意、輸出協議が継続している間は、停止の効力を維持するとしています。これも法的な根拠がよくわかりません。そもそも論として、輸出管理強化は国際社会からの要請であり、ワッセナーアレンジメント強化の流れに沿うもので、徴用工問題とは関係ありません。

単に韓国の輸出管理不全により引き起こされたことであり、日本側からの指摘に対して三年間にわたり、不全状態を放置していたことからとられた処置にすぎません。日本の輸出管理は経産省一〇〇人に加え、民間団体のCISTECと各企業の管理部門という態勢になっています。それに対して、韓国は一〇人の職員と形骸《けいがい》化した管理組織しかないわけです。この状況でホワイト国指定をしていたことが間違いなのです。

今回の協議により、韓国側がこれを改善できればホワイト国に戻す選択もありますが、そのためには韓国側が輸出管理体制を完全に作り変える必要があるのだと思います。

また、これは「徴用工」問題とは別の案件であり、日本企業に実害が出れば、制裁を課すとしており、これは何も変わっていません。

米国としては、日本側の関与がなくなれば韓国との軍事協力を直接的には米国だけで賄うことになり、これを避けたかったのだと思います。

もともと、GSOMIA破棄、在韓米軍戦時作戦統制権返還（在韓米軍撤退が視野に入る）、THAADミサイル廃止（北朝鮮や中国からのミサイル防衛非協力）は文在寅氏の選挙公約です。

日下　日本も目がさめました。どうぞお好きになさい（笑）。遠からず滅びる国のことです。

第一章

常識を疑う世界の見方

中国の見方を完全に誤った日米

渡邉　中国がいきなり台頭してきた大きな理由として、アメリカも日本もこれまで何もしてこなかったことが大きいでしょう。それによって南シナ海は軍事的には完全に取られてしまった。民主党政権時に日本が中国の南シナ海進出を止めていればこうはならなかったはずですが。

よせばいいのに南シナ海を取られた直後に、盗人に追い銭の形で人民元の直接決済を認めてしまいました。人民元拡大にお墨付きを与えたようなもの。そのころの中国の印象といえば「やがて最終的にわれわれと同じ自由主義の国になるだろう。すでに実態は資本主義なのだから心配することはない」というものでした。しかしこの見方は甘かった。日本も世界も完璧《かんぺき》に読み間違えました。

現実に起こったことは、巨大な開発独裁国家が国家統制を通じて化け物のように日々拡大化している、ということです。それを封じ込めるチャンスを、アメリカの民主党政権時のオバマも日本も逸してしまいました。取り返しのつかない、致命的な油断だったと言っていいと思います。

二期八年続いた民主党政権の間、リーマンショックの後遺症で、アメリカの金融の力が急速に弱体化していくなかで、中国は金融だけでなく情報技術や通信技術を中心に、何もしないことをいいことに、好き勝手をやったのです。結果は明らかです。アメリカも日本も遅きに失したということで、今さら臍《ほぞ》をかんでもおそいのですが。

今、大問題になっている香港に関しても、本来の一国二制度を中国は維持してくれるだろうと高をくくっていたのがいけなかった。習近平は手のひらを返す形で一気に民主派の締め付けにはいりました。世界が油断している隙間《すきま》を衝いて牙を剥《む》いたのです。

中国は大陸国家ですが、そういう国が覇権主義に転じて海洋国家たらんと欲を出すと必ず緊張状態、ひいては戦争状態を惹起《じゃっき》します。

地政学的に国の置かれた位置は変わりませんから、国力が膨張してくると必然的に版図を拡大しようとする。ただ、従来の戦争とは違って現代のそれは、経済、金融、科学技術などすべてのパワーを使って行われますから、すでにして戦争状態にあるとも言えるでしょう。大量破壊兵器の登場以来、弾の打ち合いをする戦争は他国を滅ぼすだけでなく、自国も決定的なダメージを受けることが明らかですからね。古典的な戦争が割に合わないことくらい中国もわかっています。

日下　一九九九年に中国人民解放軍の空軍大佐だった喬良《きょうりょう》と王湘穂《おうしょうほ》が著書で「超限戦」を言いましたね。こういうことを言い出した時点で、危険性を察知して日本はもっと反発すべきだったのですが、何も言いませんでした。

超限戦とはこれからの戦争はあらゆる手段で制約なく戦うものであるとして、二人は二五種類にも及ぶ戦闘方法を提示。通常戦に加えて、外交戦、国家テロ戦、諜報戦、金融戦、ネットワーク戦、法律戦、心理戦、メディア戦などを挙げています。

これらの新しい戦争の形のあるべき姿として、総合方向性、共時性、制限目標、無制限手段、非対称性、最小消費、多次元的協調などを列挙しています。

ここではすでに軍人、非軍人の区別すらなく、第二次世界大戦時の「総力戦」の概念を超えた、まさに新しい戦争と言えると思います。「超限戦」を知れば中国がわかるといっても過言ではありません。

もう一度超限戦から勉強しましょう。そして日本的な戦争の仕方を世界に説明しましょう。そして戦いましょう。

戦略論のないリーダーたち

渡邉　経営者も政治家もリーダーたるべき人は、最後は米中どちらに付くか、旗幟《きし》を鮮明にしないといけません。中国は当面商売になりそうだからとか、安全保障はアメリカの傘の下で提示どおりでいいとか、中国にくっつくとか、アメリカにおんぶに抱っことか、そんなことではいずれ立ち行かなくなります。騒動の渦中にある香港は、自由か専制か、どちらの体制を選ぶか、のっぴきならない選択をしています。目先の利益や当面の安全だけを優先してどっちつかずでいる日本とは大違いです。

日本を考えると、国民の生活、国民の自由を守るという観点からは中国に付くという選択肢はそもそもありえません。経営者にも政治家にも一本筋の通った、本来的な意味での長期的な戦略論で物事を考えられる人物がいないのでしょうか。これは国家として不幸なことなのですが。

目先のことばかりに終始してしまうと、経団連がいい例ですが、予定調和的な仲良しクラブになってしまって国家という概念で大切なことを考えられなくなります。世界情勢が波風の立たない平和なときはそれでもいいのでしょうが、昨今のように文明の衝突が起き、大陸国家がシーパワーを手にし、各地で大小様々な軍事的・非軍事的衝突が立て続けに起きるようになって世界の分断が現実のものとなると、自分の国はどちらの陣営に付くかの決断を以前より強く求められることになります。なあなあ主義は通用しない。いったいどちらに付くのかと踏み絵を踏まされているのですから、そこはしっかり踏み込まないと……。

中国人に信用できる人物はいない

日下　中国がどれほどいいかげんな国か、私は皮膚感覚でずいぶんと知っているつもりです。

人工的な経済都市・深圳《しんせん》が開発されるとき、私は銀行の仕事で何度も現地に行きました。そのとき労働者としてまず連れていかれたのが旧満州の中国人。そのころは入る学校も就職をするのもすべて中国共産党の命令ですから「おまえは黒龍江省の男だが深圳へ行け」と言われたらそれで終わり、選択肢はないわけです。

そんな状況を見て台湾人たちは「いやはや、アホなことだ」と言って軽蔑《けいべつ》していましたが、現地の中国人は中国人で、台湾人を「台呆《たいほう》」と言ってバカにしていた。台湾の阿呆という意味です。「台呆が深圳で一儲《もう》けしようとしている。一山当てようと……」と、敵対心を燃やしていたのです。どっちもどっち、という気もしましたが。

ただ、中国で儲けようとする人はある意味、みんな阿呆なんでね。共産党が独占している土地で商売をするしかなく、私有財産の保証がないのですから。土地の所有権を認めていないが、これは中国の憲法にも書いてあることです。

共産党が持っている土地ですから地価はタダ。そこで共産党が資本主義を始めたら、そりゃ儲かります。高度成長もするでしょう。そんな簡単なからくりをわからずに、日本の経団連の偉い人なんかが騙《だま》されて、お金も技術も人も、なにもかもくれてやってしまったのですから「阿呆」な話です。

私も多くの関係者に「危ないよ」と警告を発しましたが、みんな欲の前には無力だった。なにしろ土地がタダでそこを開発するのだから、まあいいじゃないかと。私が現地で見た限り、心を込めて仕事をしている人なんて一人もいませんでした。やっていることそのものがインチキなのだから、これは仕方がない。中国はインチキの塊だなあ、くらいに思っていたのです。

場当たり的な中国人ということを考える際に、こんな話があります。

戦後に建設省の次官にまでなった人の話ですが、兵隊のときは香港にいた。いよいよ日本が負けてこれで帰れるというときに、イギリス兵が日本人を街中で並ばせて、香港人に「このなかに悪い奴はいるか。いたら指差せ」と言って回った。

「この人！」と言われたら即ぶちこまれて一巻の終わりという状況です。そのとき、香港の中国人は実際いいかげんであったと、私に話してくれたことがありました。イギリス人も同じで引き揚げた後に恨みやいざこざがたくさん残るようにしていくのです。日本人はどうやってこの世界で生きてゆくのか、一人ひとりが考えを持たなくてはいけません。

その人は幸い指差されずに日本に帰れたのですが、「今度こそ実のある中国人に出会えた。この人なら信用できる」なんて金輪際思わないほうがいいですよ、と教えてくれました。

日本はアメリカに付くしかない

渡邉　日本がアメリカに付くしかないという理由は、急速に進行しつつある世界情勢からして明らかです。ブレグジットでイギリスは大陸を捨てた以上、海洋国家的な戦略をとらざるをえない。必然的にアメリカとの関係を強めます。ファイブ・アイズと呼ばれたかつての英国大連邦諸国とも関係を深めますが、これらの国々は皆アメリカ寄りです。台湾では、アジア太平洋諸国とアメリカが参加して安全保障の会議が開かれましたが、そこに日本も加わっています。中国包囲網的なものが出来上がりつつあるのです。

言い換えれば大陸包囲網。イギリスは南アフリカこそ失いましたが、インド洋を東にぐるりと回って、オーストラリア、ニュージーランド、カナダ、アメリカと、ユーラシア大陸を囲む形で同盟国の輪を作っています。その中心に位置するのが日本ですから、日本の立ち位置はこれで決まったも同然です。

中国は南シナ海の領有権問題に際して「九段線」という地図上の線を海上に引いて、自国の領土であると主張しています。勝手に引いた断続する九つの線の連なりです。

二〇一二年から中華人民共和国の発行するパスポートの査証欄にも「九段線」が印刷されています。もちろんこれは何の根拠もなく、一六年にハーグの常設仲裁裁判所は「法的根拠がなく、国際法に違反する」と判断を下しています。要は、相手にしなければいいという話なのですが。

大陸国家の中国が海洋国家たらんとして太平洋上に進出を図った形ですが地政学上そんなことが罷り通るのかどうか、イギリス＝アメリカの大陸包囲網が証明していると思います。

ハードブレグジットでＥＵから完全に切り離されると、イギリスは事実上ユーラシア大陸を捨てる形になります。大陸国家の価値観と海洋国家の価値観がこれから激しくぶつかり合うのではないでしょうか。

海洋国家の価値観は、地球を球体で見るとよくわかる。われわれが見慣れたメルカトル図法だと国々が面積で示されるので大陸国家の価値観はつかめるのですが、実際は地球は球なので、たとえば北朝鮮のミサイルが北極の上を通ればニューヨークまですぐということになります。ニューヨークやワシントンまでの距離とアメリカの西海岸までの距離に大差がなくなる。

日下　本当にそうです。地図を見て北海道からベーリング海の上をまっすぐ飛べばどこへ着くかみんなに聞いても答えられないんです。イギリスまですぐです。

トランプ外交は株価が決める

渡邉　トランプ大統領と中国との関係はとても微妙なものがありますが、アメリカの株価を軸にして観察するとよくわかる点もあると思います。

株価が最高値をつけにいくと中国への制裁を言い出す。関税引き上げだとか追加制裁だとか。制裁を厳しくすると株価は下がる。利下げしろとか言って中国に圧力をかけると株価はもう一度上がってきます。で、また最高値に近づくと再度制裁の話を持ち出す。

こうやって、自分は傷つかないようにして、株価を上下動させてうまく政治をやっている気がするのです。実に巧妙な手法です。

一気に制裁をかけるとアメリカもダメージが大きいので、段階的に徐々にやる。ダメージが極大化しないように調整しながら、株価を基準にして国際政治をやっているのではないですか。

そのやり方ではどこかで決着がつくということはなく、ずっとやり取りは続きます。シャッターをドンと一気に落とすのではなく、カーテンを半分開けながら、様子見をしながら、自分たちが傷つかない範囲でディールのやり取りをいつまでも続けるという手法。

トランプは経営者ですから、そういうことができる。

今までの政治家には彼にとってお手本がないのですが、経営者から見ると当たり前のこと。彼のしてきたことはいわゆるファウンダーで、不動産投資で金を集めて不動産開発をして手数料を取るということですから、こう言えば相手はどう出る、こうすれば相手はどう動く、ということが全部わかっているのですね。

アメリカという国の構図

日下　よくわかります、それがトランプです。アメリカという国を考える際に注意しておきたいのは、根本は州（ステイト）であるということです。州の集合体がユナイテッド・ステイツ。アメリカは歴史的に州の離合集散が繰り返された末に現在の五〇州体制ができた。州単位でアメリカをとらえる発想が必要、ということになります。

アメリカの上院は五〇州から二人ずつ選ばれて計一〇〇人。ちなみに上院議長は上院議員ではないので本会議の採決に加われず、議事進行もできない。通常、上院議長は副大統領が兼任しますが、票を投じるのは採決で可否同数の場合のみです。

日本がもしアメリカを上手に動かしたいのなら簡単です。

五〇州のうち二六州を親日にすればいい。そうすれば、アメリカ全体を親日にするのと同じ効果が得られる、ということです。

貧乏な州を二六選んで、現地工場を作るとかして日本びいきにしてしまう。一番簡単です。ところが反日州に重点を置いてアメリカ工作をしてきたのがこれまでの通産省（現・経済産業省）でした。こんな手間のかかることをしなくてもいいのです。

かつてチャーチという反日の上院議員がいました。彼は自分の州に日本企業を誘致した。これに対して同じ上院議員のデビット・ロックフェラーが経団連で行ったスピーチがふるっています。

「日本の通産省はチャーチが反日でうるさいからといって工場を作ってやったが、そのお陰で彼はまた当選してしまった。放っておけば落選して、反日の議員はいなくなったのに」

通産省はアホでしたが、日本には利口な企業もありました。トヨタはミシシッピー川沿岸の某州からの工場誘致を蹴《け》ったとき、社長は「この州の裁判では日本企業は負け続け。反日のこの州には工場を建てません」とはっきりと言いました。

日本企業に進出してもらい雇用を増やしたい。そのためには反日の旗を降ろさなければうまくいかない。そう思わせなければダメなのです。

具体的に言いましょう。アメリカの州を親日度でA、B、Cとランク付けするのです。Aは友好州、Bは非友好州、Cは敵対州。そうすればランクを上げてもらおうと、各州は日本に働きかけます。

現在、アーカンソー、コロラド、フロリダ、ジョージア、インディアナ州など二一の州が東京に州事務所を設けています。五〇のうち半分近くです。手っ取り早くアメリカを味方につけるには、これらの州を手厚く遇し、さらに東京事務所を置く州を増やすことです。

アメリカが州の合計で成り立っているのは、大統領選が国民全体の総得票数ではなく、州ごとの勝敗で決まることでもわかります。トランプは民主党の支持者が多い東西両海岸で惨敗しても中西部で辛勝を重ねて当選しました。勝った州の数だけが問題なのです。

アメリカの世論を味方に付けるのも一緒です。

渡邉　おっしゃるとおりですね。もう一つ、例を挙げると、二〇一二年の選挙のときにインディアナ州にダン・バートンという議員がいました。

たしか韓国議連のアメリカ側の共同代表の職にもついていた人。彼はトヨタ車のブレーキ問題追及の急先鋒《きゅうせんぽう》で盛んに議会で騒いだのですが、インディアナ州は全米で一番大きなトヨタの工場のある所で、それが元で地元政財界から総スカンを食ってしまい、出馬を取りやめざるをえなかった経緯があります。州の雇用に最大貢献をしていたのがトヨタですからね。

そのとき、日系社会の後押しを受けて、代わりに出馬したのが、トランプの懐刀といわれているマイク・ペンスです。トヨタはインディアナ州自体を味方に付けていましたから、上院議員の一人を送り出すことくらいできる、という話なのです。

やる気になってきちんと作戦を立てて準備をして戦おうとすれば、トヨタほどの実力のある会社となれば、いくらでもできるのです。

国家の強さの計り方

日下　世界の国々をみるとき「近代化」という切り口でわければ、国家には二種類あることがわかります。国民の精神的な満足を完了させたうえで、経済的な満足を追求していった国と、経済を先にして精神を後回しにしてしまった国と。

後者の代表はアメリカでしょう。そもそもがヨーロッパで食いつめた人々が母国を捨てて逃れてきた先が新大陸。国に帰っても借財が残っているだけだから、まずは貧困からの脱却が最優先だった。

それ以外のこと――精神的な充足など――は二の次、三の次。豊かになること、食うことをしゃにむに求めて暴走してきた、ということでしょう。

彼らはアメリカ憲法に破産法を盛り込みました。借金はしかるべき理由があればチャラにできるという、まさに革命的な考え方で、こんな身勝手な理屈まで強引にこしらえてまで、彼らはマイナスからのスタートをゼロからのスタートに切り換えて再出発を図ったのです。

ワシントンの街並みに代表されるように、アメリカの官庁や古い公共の建物はみなギリシャ風建築で、正面のエンタシス（円柱）がとても目立ちます。州政府や州議会の建物もおおむねそうです。

それはアメリカには中世がなく、歴史的な時間のなかで精神を成熟させてきた記憶がないため、いきなり古代ギリシャまで遡《さかのぼ》った地点で文化や文明のモデルを求めざるをえなかったからです。中世にモデルを求めると、ヨーロッパを捨てた自分たちそのものを否定することになりますからね。言うならば古代の幻想のうえに突然近代を強引に乗っけたような構造なのです。まあ、簡単に言ってしまえば、歴史がない。

歴史のある国というのは、古代、中世、近代、現代と時間軸を追ってきちんと積み上げられています。日本にはこれが全部そろっている。東南アジアやヨーロッパにはそろっている国が多い。ちゃんと三階建て、四階建てになっているのです。

けれども中国。あの国には古代と中世はあるが近代がない。

近代化が成されなければ次に進めないはずなのに、彼らはそれを無理やり「現代化」と呼んでとり入れている。近代化というとそのお手本が日本になってしまって悔しいからでしょう。近代を経験していない弱み、というのがあるのです。建物のある階が抜けてしまって、全体がグラグラしてしまう、という感じです。二階から三階を飛ばして四階に上がらねばならず、とても危ない。

韓国に至っては一階からいきなり四階に上がる危険を冒して国作りを急いでしまった。日本が作った都市や社会資本、制度のすべてを「日帝三十六年の悪夢の支配」として全否定した。見かけだけの現代化にすぎず、こういうのを「砂上の楼閣」というのです。必ずその報いを受けることになるでしょう。

渡邉 今の分断された世界では中国・韓国排除が日本の国益になります。というのも、平成の三十年、日本が貧しくなった、世界のなかの位置づけが小さくなりました。この原因が何かというとグローバリズムなんです。つまり、新興国が豊かになって日本が貧しくなったわけですが、日本が持ってたマーケットのシェアを奪っていったのはどこなのかと考えると、中国・韓国なんです。

したがって、マーケットから韓国・中国を追い出して日本がシェアを取り戻せばいいのです。

話は変わりますが、この前台湾人の友達が面白いことを言ってて、韓国が日本の統治時代に作った文化・文物を「日帝残滓《ざんし》」といってどんどん燃やしたり、特定の日本企業を

「戦犯企業」とレッテル貼りをしてることについてです。

「これは日本が台湾にも作ってくれたものだったり、台湾人が感謝してる会社と同じ会社だよね」

確かに朝鮮と台湾のインフラを作った会社も、ほぼ同じ会社と同じテクノクラートなのに、両国の評価は真逆です。

台湾は大事にしてくれて、建物も、日本統治下の建物を全部残して、今でも文化財として保存してます。民族的にみたら、台湾に移ってきた人も半島にきた人も大陸から渡ってきた人たちが多いわけだし、原住民以外は時代の違いがあるだけです。

そうなると、島国と半島の違いなのかなと思います。

日本に格差はない

渡邉　次に日本の国内問題についてみて行きたいと思います。メディアは相変わらず酷い、日本を貶《おとし》めることばかりいいます。日本が格差社会になったというのもそうです。先生はどうご覧になられますか？

日下　まったくそうは思いません。日本には本当の意味での格差なんてない、というのが私の考えです。

格差の「格」というのは、各段に違うとか、もう追いつけない、もう挽回できないと言う意味です。ただ差が大きいという「程度の差」の問題ではない。そう考えて他国と比べてみれば大したことはない。差はあっても、格の違いはないと言えるのではないですか？日本の「格差」は金持ちかどうかというだけのことであって、金儲けがうまければ解消できる。日本は昔からそうで、商人が殿様よりいい暮らしをしていたなんて話はザラにある。

日本の場合の格差は、乗り越えられる壁なのです。働けばいいじゃないか、金儲けをすればいいじゃないか、ということでそれをみんなが認めている。日本には差はあるが格差はない、そう言っていいでしょう。

中国を見てください。共産党は党員全部に格差をつけて、偉い人はだから偉いと言っている。習近平はそれを一生懸命規約の文章に書いて徹底しようとしている。「死ぬまで終身待遇としてこれを約束する」と。老後の特別病院は三カ所、いつでもどこでもパッと入院できます、とか、家には女中を何人、料理人を何人おくことができますとか、別荘をいくつか選んでいいとかを具体的に決めている。おそらく規約で決めても守られないと心配なのです。暗殺や政権内の内ゲバが一番怖いからそうしているのでしょう。こんな国と比べても仕方ないとも言えますが。

渡邉　反面、メディアは日本が世界に貢献していることはほとんど報じません。

たとえば、日本政府はユニバーサル・ヘルス・カバレッジ（ＵＨＣ）といって、日本の皆保険制度のようなものを世界に普及させる活動を行っています。

これは、二〇一六年のＧ７伊勢志摩サミットや同年のケニアで開催されたアフリカ開発会議（ＴＩＣＡＤ）でも議論しています。

また、一九年の八月のアフリカ開発でも日本政府は中国からの過剰融資に喘《あえ》ぐアフリカの諸国に金融の専門家を派遣して、財政再建のノウハウを伝えて「債務のワナ」からの脱却を支援しています。

このような活動が世界に広がっていけば日本化につながっていくと思うのですが。

日下　そう思います。中国は見かけ倒れのことを何回でもしていますが、それに付いてゆく国がある。賄賂が多い国に付いてゆくと、いずれ共倒れになりますよと言ってもきかないのは、国作りを手っ取り早く考えているのでしょうね。

マスコミよりも大阪のおばちゃんのほうが信頼できる

日下　今思い起こしてもいまいましいのは、バブルといわれた時代のことで、本当にバカげていました。私は「もうじき弾けるぞ」と何度も本に書いた。書いたけれども誰もそれを信じてくれず、振り返ってみたら傷跡だけが痛々しく広がっている。

かなり前のことですがアメリカでフロリダ半島の土地ブームが起こった。雨が降れば沼地になるような土地をリゾートとして売り出して良い値で売れた。そういう土地をブームに乗って買った人を「トゥモロー・フール（明日のバカ）」っていうんです。ブームが怖いのは、明日になればもっとバカが来てより高い値段で沼地を買ってくれる。そいつらに売りつけられるうちはブームが続く、と。今はそういうのを「チキンレース」って言うのでしたっけ。

マスコミも悪いのですね。マスコミはいつも退屈していて、暇なんです。何でもいいから、人目を引く、何か書くことはないかと捜している。要するに煽《あお》るんです。

バブルの正体は、私みたいな者が見てもわかるくらいのたわいもないインチキだった。

たとえばサブプライムローン。「幽霊の正体みたり枯尾花」というか、それを煽られて買った人は、みんな「トゥモロー・フール」になってしまったのです。

サブプライムローンを買った個々人はたぶん良い人ですよ。「俺はちゃんとクビにならないように真面目に働いている。こんな俺が家の一軒も持てないのは変じゃないか」と考える善良な市民にうまいこと売りつけたのですね。

あのころ、私の周りにはもう本当に賢い人は誰もいなくなっていましたね。怖いと言えば怖い話です。

下手に知識を持っている人や、自分の経済活動に自信のある人ほど引っかかるのは、不思議といえば不思議。自信過剰病にかかっている人ほど危ないのですね。自分はフールではないと思っている人に限って「トゥモロー・フール」になってしまうのです。

そこへいくと、大阪のおばちゃんあたりは大丈夫。ブツブツ言っているのを聞いているととても勉強になります。

「誰それはお金が儲かると思って虎の子を持ち出してパッとすっちゃった」とか、「最近お前は調子にのっているから気をつけな」とかね。

渡邉　バブルは必ず弾けるんで、弾けるからバブルなんですよ。

大阪の街を歩けば商売の基本もわかる

日下　それから、大阪の街を歩いてみると、商売の基本がよくわかります。たとえば、リンゴなどの果物を山盛りにして、リンゴ一個一〇〇円で売っていたとしましょう。通りがかりの客はリンゴの山をかき分けて、気に入ったものから取っていく。客足が途絶えて夕方になると、残ったリンゴは八〇円に値下げされ、さらに残ったものは閉店間際に五〇円になる。すなわち、実質的に値段を決めるのは客であって店ではない、ということがわかります。

役人のすることはこの逆です。リンゴは一〇〇円の一級品が全体の何割、八〇円の二級品が全体の何割と、あらかじめその基準を決めてしまう。これが農林水産省の「品質検定委員会」のやり方です。

農協（ＪＡ）は農水省が決めた品質に応じてリンゴのマークを付け、競りにかけます。競りにかけるといっても、すでに品質＝値段が決まっているのですから、参加者も自分自身の判断で自信を持って値段をつけているのではありません。

山盛りにしたものを見て（場合によっては手に取って）、一級品であるかどうかは客が決める。そして、客に見捨てられたものは値下げする。これを大阪では「商法」と呼びます。

大阪の商いは江戸時代からこうでした。客の好みが商品の値段を決めるのです。東京の役人にはこのことがわかっていないような気がするのですが……。

賄賂《わいろ》をとればいい

日下　アジア諸国の開発の仕方を見ていると、地下鉄でも道路でも飛行場でも結局賄賂《わいろ》をくれる国に発注して、最後のところだけ日本の力を借りていることが多くて驚きます。ちらかった仕事を最後にうまくまとめてくれるのが日本、ということらしいのですが、頼っているのかなめているのか、ずいぶん虫のいい話です。開発独裁といわれたアジアの戦後の政治家たちはみんなその手の者たちです。

そういう実情のなか、賄賂の要求を毅然《きぜん》として断った日本人の代表のような人がＪＲ東海の葛西敬之さんです。日本の新幹線は世界一だから各国は喉《のど》から手の出るように欲しがった。インドネシアもその一つで、葛西さんは先方の高官に「日本の新幹線は高いぞ。国鉄のなかでも超優秀な人を新幹線に回しているのだから、それだけ元手がかかっている。少々の賄賂を受け取ってトントンになるような話ではない」と言って正規の料金を要求して、話をやめにしたそうです。

定時に安定して動かす運行システムのプログラムを持っているのがJR東海で、独占的な技術ですから強気でいけたわけです。

韓国の高速鉄道を受注したのはフランスとドイツですが、しかし、案の定、工事はでたらめでガタガタ。結局日本に泣きついてきたが断ったという話があります。まあ、私に言わせれば親切すぎるのですね。日本は。

だから、ちょっと逆説的な言い方になりますが、日本もどんどん受注しようとしたら賄賂は目をつぶって取ってしまえばいいのです。

他国が施したガタガタの工事の最後の後始末ばかりしていないで、ビジネスに徹して金を使ってしまえばいい。こちらには技術があるのだから、場合によっては目の玉が飛び出るほど取ってやればいいのであって、「日本はそんなことをする国ではありません」と正論を吐くのは、腹黒い世界が相手ではけっして自慢になることではないのです。ただし日本式がだんだんわかってきたらしいという話もあります。

国連もＩＯＣもインチキ

渡邉　日本人は国連信仰や国際社会のきれいごとを初心に信じてしまうところがありますが、よくないですね。国連はしょせん戦勝国のための機関でしかないのに、この間も一七年に施行されたテロ等準備罪についても、何の権限もない国連人権理事会という部署の人間が反対すると言って、それを野党と朝日新聞が持ち上げてる始末です。

ＴＯＣ（パレルモ）条約の国内法整備は約十六年かかったわけですが、これは海外で被害にあった日本人の被害回復やテロ対策のためのものです。

日本の捜査当局が犯罪者やテロリストの情報を得られるだけでなく、外国の当局へ日本の犯罪者やテロリストの情報が提供されることになります。多くの日本人にとってもいいことなのに「国連が」というのは本当によくありません。

日本人はフランスについても幻想を抱いていて、芸術の国だとイメージしてますが、国有企業の多い社会主義国です。

結局フランス革命によって王族を殺してしまったことにより、ヨーロッパにおけるモナーキーという王族社会でのヒエラルキーが下になってしまった。

そのコンプレックスの裏返しとして、フランス革命で掲げた自由・平等・博愛を宣揚しているにすぎません。日本語の翻訳で間違ってるのは博愛じゃなくて本当は「友愛」なんですね。友愛というのは友以外を殺すことを正当化する言葉です。

日下　フランス革命により国民同士が一〇〇人も二〇〇人も殺し合った国ですからね。革命が終わって、生き残った人たちがお互いに顔を見合わせてみたら、生き残っていたのはみんな口のうまい奴らばかりだったという（笑）。

渡邉　結局その後フランスは、ナポレオンが退位し王政復古しようとしましたが、ハプスブルグとかと血縁がないから、ヨーロッパの貴族階級では相手にされません。

やはり善悪は別にして国際オリンピック委員会（ＩＯＣ）にしても、ベルギーやデンマークを中心とした王族グループがだいたい名誉職に就いていて、フランスは入れない。それが大きなコンプレックスになっている。

日下　まあＩＯＣもインチキだから。

サッチャーが日本に来たとき、なんで日本人はこんなにＩＯＣと国連をありがたがるんだと言っていた。自分が作ったから、みんなインチキだって知っているんです（笑）。

私は後進国開発の一種のプロだと思われて国連の人がよく来てアイデアをねだられていたからよくわかるのですが、自分の月給のためにインチキを考えるような人間ばかりだった。

統計は信用できない

日下　もっと根本のことをいうと「統計」ははたして信用できるのだろうか。このことを私は常に考えています。

次々と間断なく発表される国家の統計や数字に基づいて国際経済を語ることに疑いを持つ人は少ない。ＩＭＦ（国際通貨基金）や世界銀行、国連の諸機関なども統計数字を繰り出して経済見通しを発表している。

けれどもこれだけに頼っていれば将来を予測しうるという考え方は、実は底の浅いものでしかないと思う。

政治や経済、金融、みな人間の営みである以上、それを知ろうとするなら人間理解が欠かせないはずで、これは国別の統計数字で見るのとは違う尺度なのではないでしょうか。

私が言いたいのは、統計数字で見ることには限界がある、ということです。経済危機のようなときに何をどの程度信用するかは、経済学や統計学よりもむしろ心理学でしょう。「行動経済学」や「行動心理学」のほうが重要だと思われるのです。さらにはその元になる経済学がいい加減です。ノーベル賞をもらっても喜んではいけません。

さらに、そもそも統計自体がいいかげんな国があり、それを基に比較を試みても詮無いことです。

二〇一一年に中国が五〇〇兆円に達し、日本のＧＤＰを追い越したといって大きく報道されました。しかしその四分の一を軍事予算に回しているような国のＧＤＰと比較されても仕方がない。数字は存在しても、国内はバラバラ、無責任に拡大した投資の回収の目途はたたない、こんな国のＧＤＰの数字に意味はあるのか、問うまでもないでしょう。

中国だけではありません。

アメリカが発表する各種統計には必ずと言っていいほど誤差、脱漏があります。

まず速報値が出て、しかる後に暫定値が出、その後に確定値が出ますが、酷いと確定値が速報値の半年も先だったりします。こんな数字にもう意味はありません。

ＩＭＦには日本の財務省からの出向者もいますが、彼らは本省と相談のうえ、ＩＭＦとしての世界経済成長予測を発表します。

たとえばＩＭＦの出す中国の成長率は、共産党政権の発表と大差がないことを見ても相当に怪しい。

こんな数字をなぜ日本のマスコミはありがたがるのでしょうか。世界各国が発表する統計数字を鵜呑《うの》みにしてありがたがる日本の新聞を、私は信用しません。

統計はウソをつかないが、ウソをつく人は必ず統計を使う。統計は騙しのテクニックと疑ってかかったほうがいいでしょう。

私はＧＤＰなど推定だらけの数字よりも、許認可に基づいて収集したデータから算出された数字のほうを重視します。

たとえば、警察庁の許可を受けなければ営業できない質屋業、厚生省の許可を受けなければ営業できない豆腐製造業、運輸省の許可を受けなければ営業できないタクシー・ハイヤー業などに関するデータです。

数字では表せない日本の幸福度

渡邉　こんなことというと怒られますが、私も自分のコラムと本の広告が出ない限りは新聞は買いません。というのも、読んでると腹がたってくるからです。一次ソースを見ると中身が違う。記者の要約が読解力がないからか、意図的なのかはしりませんが。

これは拙著（『ＧＡＦＡ vs.中国』）でも指摘したことですが、日本の幸せはＧＤＰや企業の時価総額という統計では表しきれないんですね。

よくバブルが弾ける前の一九八九年には、世界の上場企業の時価総額上位五〇社のうち三二社が日本企業で、二〇一八年ではトヨタ一社しか入ってないことが悲観的にいわれます。確かにそれだけを見れば日本の凋落《ちょうらく》は著しく、日本のバブルは、リーマンショックなど世界のバブル崩壊のなかでも突出して大きかったのです（株価下落率が日本の八二％に対して世界の株価指数は五七％）。

しかし、アメリカなどがインフラ建設への「投資」で伸びているのに対し、日本は「消費」がＧＤＰを牽引《けんいん》しているのです。日本の失業率は低位で、格差問題も限定的で、医療費負担も先進国で最低水準です。本来その国が豊かであるかどうかは、巨大企業や株価だけではなく、国民の快適さを見なければならないのだと思います。

日下　同感です。今の経済学では日本独特の価値はまったく計算されません。評価する基準がないのです。

たとえば、一九八〇年代から土曜を休日とする週休二日制が広く採用されるようになり、その上、いつのまにか日本の休日はどんどん増えました。

一九四八年に「国民の祝日に関する法律」が制定されたときの休日はわずかに九日でした。それが今では祝日が十六日。祝日が日曜日と重なると翌月曜日が振替休日になりますから、年によって休日の数は変わるのですが、世界のなかでも多いことは確かかと思います。

企業ではリフレッシュ休暇を設けたり、代休消化の促進を図ったりで、休みの日はかなり増えています。

これだけ休みが増えても経済成長率が横ばいということ自体、すごいことではないでしょうか。休んでも成長率が落ちないということは、休みの日がかつてのように少なかったのなら、二％ほどの成長率は上積みできるのではないかと考えます。それだけ日本には潜在的な力が存在しているということです。

日本ほど住み心地のいい国はありません。夜になっても若い女性が一人で歩ける。そのことを安心料としてとらえれば、日本の価値はもっと上がります。

水道の水をそのまま飲める国なんて、世界にはありません。どこの国でも、飲み水は買うものというのが常識です。

警官の質も諸外国とは段違いです。日本の現場の警官で賄賂を取る人なんかいません。海外では一〇ドルか二〇ドル渡せば、その場で「ハイ、オーケー」なんて国はいくらでもあります。

日本のこういった部分を消去して、国の豊かさ・貧しさを経済学上で判定してみても意味があるのだろうかと考える人が出てきても当然でしょう。

結局、日本の良さをわかってもらうには、日本を、日本の生活を体験してもらうしかありません。肌で感じてもらうしかないのです。

見方をがらりと変える地政学

日下　本章の冒頭で地政学が話題に上ったので、世界の見方の発想をがらりと変える一例を挙げたいと思います。

ヨーロッパには「地中海は二つある」という見方があります。これは西暦一五〇〇年あたり、おそらく地政学の先駆けとなるのでしょうけど、面白いことを言った人がいたのです。

アルプス山脈に降った雪が北に流れればバルト海（バルチック海）に入り、南に流れれば地中海にそそぐ。だから北のバルト海と南の地中海は同じ源を持った「ヨーロッパの内海」で、それまで軽視されていたバルト海の重要性を再確認させようとしたのです。

重要地点は具体的にはデンマークのあたり。シェイクスピアの悲劇『ハムレット』（一六〇〇）は、デンマークが主役のようなものですね。日本の皇室は歴史的に確証が得られるだけでも千五百年ほど続いていますが、ヨーロッパで一番長く続く王室はデンマークで、千年ほどもあるそうです。今でこそＥＵのなかの小国にすぎませんが。

英語でデニッシュ（デンマーク的な）といったら、一段上等な、贅沢《ぜいたく》な、という意味になりますね。ただのパンではなくて、砂糖がかかっていて、甘くて美味しいのがデニッシュパン。

そのあたりの文化がいかに進んでいたかと考えると、たとえばカントは十八世紀にバルト海に面したドイツの港町に住んでいました。

バルト海に面して峡谷がズラリとあり、外側がノルウェー、内側がスウェーデン、デンマーク、バルト三国。スウェーデンあたりからするとイングランドやスコットランドなんてのはタラかサバばかり食っている野蛮国で、それより外は大西洋という位置づけでした。バルト海の人たちは自分が世界の中心だと自覚しているからもっと遠くまで行こうとしてはるか大西洋にまで乗り出していった、というわけです。

さらに船と航海術が発達したノルウェー人が、スペインを迂回して地中海に入り各地に植民地を作りました。そこでアルプスの北側と南側を同時に考える視点ができました。それが〝ヨーロッパには地中海が二つある〟という地政学の誕生です。

アルプスに降った雪がとけてやがて二つの川になり、西に流れるとライン川、東へ流れるとドナウ川になる。その分岐点はまだチョロチョロの小川ですが、観光客がまたいで写真をとって喜んでいます。それは東と西のヨーロッパの誕生でした。

地政学が再び脚光を浴びているようですが、常識にとらわれない見方、というのは時に思わぬ発見をもたらしてくれるものです。

第二章

立派だった戦前の日本人

変人が集まった自由学園

渡邉　この章では、先生のように世の通説にとらわれない見方をするために、先生の生い立ちや人間観についてお話を聞けたらと思います。

日下先生は関西のお生まれですよね？

日下　赤ん坊のころは尼崎にいて、しばらくは関西で育ったのですが、その後は東京・田無にある自由学園という一風変わった学校に入って、普通の人とは少し違う人生を歩むことになります。

私が入ったときは文部省が認めた新制高校ですらなかった。今で言えば各種学校ということになりましょうか。そこを出ても何の資格もないのです。高校卒業の免許が欲しい人は他の学校へ行きなさい、という感じで、今から思うとずいぶん偉そうな学校だった。

大正時代に流行った「新自由教育」の象徴のような学校。文部省に口を入れさせないということで、経営者が思う存分好き勝手に「これが理想の教育だ」と思うことをやっていました。

女性思想家でクリスチャンだった羽仁《はに》もと子と夫の吉一《よしかず》によって一九二一年に設立された学校で、校名の「自由」は新約聖書『ヨハネによる福音書』にある「真理はあなたたちを自由にする」から採られたと聞きます。学園内の寮で生活し、キャンパス内のこまごまとした仕事も生徒の手でやっていました。羽仁五郎は、もと子の娘婿です。

もと子さんは自分の娘二人のために理想の教育を授けようと学園を作ったが、後に男子部も作ったほうがいいとなって、旦那が男子部長の職に就くのですが、私が入ったころは、えらい年の婆さんがずいぶん威張っているな、という感じでした。

私の母が私を連れて東京へ行って、「こんな学校があるけれど、お前入ってみたいか」と言うので、「ああ、入る、入る」と応えると「お前、大丈夫かい？　本当に行きたいのかい？」と母が尋ねるので、「だって最後は東大に行けばいいのでしょう」と気軽に答えたものでした。定員は三〇名。そのとき、広い日本には私のような変な奴が三〇名はいるんだな、と思いました（笑）。

父は三高、東大のカチカチの人間でしたから、父が東大に入れたのなら自分だって入れるはずだ、と（笑）。

文部省の指導のない学校だから教科書はなし。先生たちが持ち寄った教材を使って自由に授業を進めていました。

渡邉　でもそれだと大学受験できませんよね？

日下　在学中に学制改革がばたばたとあって、自由学園も新制高校として受けられるようになって、受けたら合格した。

　東大に入って感じたのは、こんな居心地のいいところにいたら人間は堕落してしまう、ということです。今でもそうでしょうけど、東大出ると、多少へっぽこでも「まあ、いいだろう」となりますでしょ。ですから私は「絶対卒業しないぞ」といったんは誓ったのです。必ず途中で辞めてみせる、と。

　だいたい、世界の最先端をいく日本の応用ハイテク技術は、東大や京大の卒業生だけではなく、名もなき町工場の片隅で生まれています。「東大出」だといばったところで、「うちの開発責任者は高卒だが、よっぽどいいものを作ってるぞ」と言われれば黙るほかはない実力社会です。実際「恥ずかしくて東大出だと言えない」というのが、技術者たちの間での常識だといいます。

　しかしその誓いも果たせず、おめおめと東大を出てしまったのが、転落の始まりで、普通の人間になってしまった。

戦後日本の価値観で世界を見てはいけない

日下　父が転勤族だったため、小学校は北海道で入りました。父は裁判所に勤めていました。日本政府直轄の北海道、といった、開拓時代の名残のある時代のことです。「お上頼り」という開拓時代の根性のようなものは今も続いていますね。補助金がどうしたこうしたとか……。

大東亜戦争が始まると、大佐の肩書で軍属として従軍して将官になって帰国した。どうも、戦犯で処刑寸前だったらしいけれど、そのあたりのことはよくわからない。現地の裁判の立件書類は全部日本に持ってかえられて、どこかの資料館にあるそうなのですが、どうしても読む気が起きなくて。

戦後は法曹界に戻っても戦争協力者ということで、大阪で弁護士になった。そのほうが待遇も良かったんじゃないかな。終生、弁護士でした。

マレー人でイギリスの司法試験に合格して判事になった人が、われわれは証人にたって父を弁護したと、戦後日本に来て母に教えてくれたそうです。マハティールに日本人に学べ――〝ルック・イースト〟を教えた――とも言っていました。その人は政治家になって上院議長になってわが家に来たのです。母に〝現地妻はいませんでした〟と言うためだったかもしれません。母は〝あの人らしいわ〟と言っていました。

父の許にやってくるお客さんはインド人とか韓国人といった外国人が多かったから、私が日本国内のことだけを見て世界を知った気になることがないのは、そのためかもしれませんね。日本だけの価値観で世界を見てはいかん、という。

渡邉　その話をきいて私も思い出すことがあります。私の青年期の経験で一番強烈だった体験は、十三歳の初めての海外旅行です。

生まれが豊田市ですので、トヨタ自動車が工場を作った関係で表敬訪問したときのことです。

ちょうど、フィリピンのマルコス政権が倒れる一年ぐらい前で、政権が不安定化し始めたころでした。

そのため、われわれがマニラの空港に着くと、フィリピン政府の迎えがきており、そのままバスに案内されました。マシンガンを持った兵士が乗ったジープで先導され、そのまま外国人専用のリゾートであるプエルトアズールに向かいました。

町のなかでは信号で車が停まるたびに子供の乞食が窓をドンドン叩いて何かを買ってくれとか、金をくれ、とか、まだそんな風景が日常茶飯事の時代でした。

そんなことを中学一年くらいで体験してしまったので、日本だけの価値観で物事を見てはいけないなと、たぶんそのとき気づいたのです。今思うと得がたい、いい経験でした。

すさまじい量のゴミ山が残っていて、外国人が暮らす特別のエリアにはゲートに高圧電流が流れていて部外者は入れないようになっている、とか。軍用車として使っていたダットサンがタクシーになって走っているけれどメーターが壊れているので使い物にはならない、とか。車検はどうしていたのでしょうか。日本ではありえないということくらいは中学生でもわかりました。

私たちは一応フィリピン国から呼ばれていたのでマラカニアン宮殿でマルコス大統領やイメルダ夫人とも会いました。宮殿内の豪華絢爛《けんらん》さはすさまじいばかりですが、一歩外に出た町のなかとのギャップがすごい。まったく別の世界でした。で、翌年にクーデターが勃発したのです。

日下　終戦直後のアジア見聞旅行の感想は私も同じですね。感無量です。

勤めた銀行が潰れるのを見るのも勉強

渡邉　大学を出られてから銀行に行かれるのですよね?

日下　長銀（日本長期信用銀行）に、入るのですが、まったく収益力のないことに気づいて驚きました。給料は良かったのですが、それだけ。

あのころは仕事が一番楽で一番月給が高いのが銀行でした。大蔵省が戦後にポンポンとハンコを押して作っただけの銀行で、本気で銀行業をやる気があったかどうかもわからないくらいです。今から思えば、という話ではありますが。

先行する同種の銀行に興銀（日本興業銀行）がありましたが、これは戦時中戦争に勝つための債券（興業債）をバンバン発行するためにできた機関です。「命令融資」という制度で、たとえば陸軍省が中島飛行機や三菱重工業に金を貸すよう興銀に命令して融資させる。

それが敗戦でどうなるというときに、アメリカが乗り込んできて、復興するまでは命令融資を続けることに決まりました。一行だけでは汚職が起きそうだということで、できたのが長銀です。

そんな経緯があるので、私が入ったころは上役がいるにはいるがみんな他行の寄せ集めばかりで、うるさい上司もいなかった。事前にそういう話を聞いていたので、長銀を選びました。

長銀の少し後に朝鮮銀行の残余資産を元に大蔵省が日債銀（日本債券信用銀行）を作るのですが、これはまったく余計でした。市場原理に基づいた収益力がそもそもない銀行など二つでも多いというのに。

三行とも看板としては長期融資ですが、本音では長期だと儲からないのでなるべく短期で貸し付けたい。それでなんとか融資先を探して金を回そうとするわけですが、電力融資など、国の事業で確実に収益性が担保されているモデル以外は、ほとんど儲かりませんでした。いかんせん借り手のほうが賢いから。

私は入ってすぐに「こんなに収益力のない銀行がいつまでも続くはずがない。たぶん十年先には潰《つぶ》れる」と思い、同様な見方をしていた先輩もいたのですが、「銀行が潰れたときのドタバタを見るのも勉強だ」と考えていました。四十歳のころには潰れると予想していたのですが、五十代になるまで持ってしまった。もっと早く銀行から離れられる、という人生計画は狂ってしまいました。

人間はまだ国家を運営できない

日下　就職口として一流の銀行に入ると世間体はいい半面、収益力がないのですから、張子の虎です。親方日の丸で潰れないように見えるのでしょうけれど、そんなことはないのです。

銀行に入ってからそのことを改めて感じたのは、ヨーロッパへ行ったときのことです。「ヨーロッパにも長期信用銀行のようなものがあるから、勉強したい。レポートを書くから行かせてくれ」と頼んだら本当に行かせてくれたのですが、自己紹介をすると向こうの銀行の偉い人にこう言われました。「自分の銀行を紹介するときに『半分は国家資本が入っている』と言ったけれど、ああいうことは言わないほうがいい。国家資本が入っているとヨーロッパでは信用がなくなるんだ」と。

渡邉　スイスの銀行なんて、本当の意味のプライベートバンクですからね。

銀行は、大きく分けて、預金を受け入れて金利を払い運用する商業銀行と資産を守るための銀行つまり、貸金庫的な銀行の二つがある。

日本人はこの違いを分かっていない人が多いですが、ルパン三世などで出てくるいわゆる「スイス銀行」は後者のほうです。

そして、商業銀行は東インド会社の流れをくむ国策銀行が世界の金融を牛耳ってきたわけです。香港ドルを発行するスタンダードチャータードはイギリス東インド会社の流れをくんでいますし、国際金融の多くが同様です。しかし、この支配構造はリーマンショックとそれに続くユーロ危機で瓦解してしまった。

ある意味、世界で唯一残る国策銀行は、中国の国有銀行なのかもしれませんね。中国共産党が採算性を度外視し融資先まで決めて、動かしている。

日下　つまり、人間にはまだ国家の経営はできないということでしょう。私が政府は小さいほうがいいと考えるゆえんです。民間の同族会社でやっている銀行のほうが責任の所在がしっかりしていて収益力が高い。

自分の信用で商売をしていた時代

日下　考えてみると日本でも大正時代まではみんな個人の資産で銀行業をやっていました。

自分の信用で知人や友人から金を集めて。自分の判断に責任をもって働いていたから、肝っ玉も太いし、潰れたときは刑務所にも入った。大正のころは、銀行の頭取が刑務所に入った例があります。

信用で商売をしているので信用がなくなると詐欺扱いになってしまうのです。

渡邉　当時は国立銀行といっても、渋沢とか三井とかほとんど個人の資産ででしたけど、どこかで全部入れ替わっちゃいましたよね。

日下　それは大恐慌のせいです。バタバタと多くの銀行が潰れたため、以来銀行業は半ば国家の仕事になってしまいました。

銀行だけではなく、本来会社というのは経営者や同族の信用で成り立たせるものでしょう。

今でも灘の酒造メーカーの社長さんなどには、なんとか八郎右衛門とか難しい名前の方が多い。屋号を引き継いでいるからで、その信用で商売をするという本来の形なのです。責任を負っています、ということを名前で世のなかに示すわけなのです。

上場しているかどうかは会社の価値ということから言うと本当は関係ないのです。証券会社の口車に乗せられて上場することが企業経営の目標のようになってしまったことがそもそもおかしい。

同族会社をやっている友人が代々受け継いでいる家訓の一つが「銀行から借金をしないこと」だそうです。借金をすると「必ずしゃぶられる」し「乗っ取られる」。借金をしてまで商売を広げるのは社長の見栄にすぎないと彼は断言する。そして「私の使命は家の商売を続けること。先祖代々の商売を次の世代に引き継ぐこと。私の代で潰すわけにはいかない」と言います。

実際、バブルのころにはご多分にもれず銀行は日参して融資を持ちかけてきたけれど、そのたびに断ってきたそうです。あるとき、彼の会社が作った新製品がヒットした。多くの会社がそれを真似て類似の商品を作ろうとして銀行から借金をした。そのとき彼は「無理して融資は受けないほうがいいですよ」と忠告して回ったそうですが、聞き入れてもらえなかったと嘆いてました。数年後にブームが去るとそれらの会社は潰れてなくなりました。

銀行のいうことを鵜呑みにして生産を拡大するためには、人を雇い、工場を拡張し、広告費を使って販路を広げなければならない。一時はいいかもしれませんがブームが去れば借金だけが残ってしまいます。こんな当たり前のことがわからない経営者が多くいるのです。

米議会を黙らせたトヨタのオーナーの一言

日下　その点、トヨタは立派です。オーナーがいる会社とはどういう会社なのかがよくわかります。

二〇一四年ごろ、トヨタのプリウスがアクセルとブレーキを間違えて踏んで事故を起こしたとか言われてアメリカで盛んに叩かれたことがありました。

アメリカの議会で公聴会が開かれ、トヨタの幹部たちが呼びつけられたのですが、みんな逃げてしまって行かなかった。一人だけ今は社長をしている豊田章男さんだけが、まだ若かったけれど現地に行きました。当時は常務だったかな。

そういうとき、欧米なら絶好のＰＲの機会だととらえてトップが乗り込んで堂々と主張するのです。「なんで日本のトップはいつも来ないんだ?」とワシントンの国会議員が私に言ったことがあります。

トヨタは役員たちが逃げて豊田章男さんだけが矢面に立って公聴会でちゃんと答えていったのですが、まあ見事なものでした。

資本主義的に理路整然と答えていくのですね。「トヨタの車を売ってくれた人はアメリカに山ほどいるんだ。その人たちは私のことをありがたいと思っている」とか「フォードとかシボレーとかの車は故障ばかりしているから売れないのだ」とか。

そして最後にこう言ったのです。「今でも一億台近くのトヨタの名のついた車が世界中を走っています。その一台一台についている車の名前は私のおじいさんの名前だ」。それを聞いた公聴会の人たちは黙ってしまいました。それほど説得力のある一言だったのです。

その前に、出席していた議員の一人が「ここワシントンまで何に乗って来ましたか」と聞いたそうで、章男さんは「もちろんトヨタの車で来ました。自分で運転して来ました」

と答えたそうです。

その直後の「私のおじいさん」発言。それを聞いた人たちはそれ以上誰も文句を言えなくなったということを聞いて私は、「それみろ、だから同族会社のほうがよほど信用が厚いんだ」と思いました。胸のすくような出来事でした。

トヨタは創業者一族を全部追い出さずに一人だけでも残しておいて良かったですね。「私のおじいさんの車だ」の一言で公聴会の空気を一変させてしまうくらいの信用を与えられるのですから、この一例をもってしても信用に基づくオーナーというのがいかに重要なものかがわかるかと思います。

渡邉　考えてみたら世界中のブランドは全部個人の名前ですもんね。グッチにしても、ジバンシー、シャネルもルイ・ヴィトンもそうです。

所得倍増計画の裏話

日下　子供たちが相続争いをして今は名前だけという会社もありますね。銀行時代、いきがかりで政府の仕事を手伝ったことがあります。手伝ったというより、実際は中心になったのですが、「俺がやった、俺がやった」という人が世のなかにたくさんいますから、このことはあまり声高に言わないほうがいいでしょう。

経済企画庁が音頭を取って、日本経済のグランドデザインを引き直そうという大仕事で、その成果として発表されたのが「全国総合開発計画」と「所得倍増計画」。経済界のこれぞという人をかき集めてチームを作り、急ぎ「経済安定本部部員」という名刺を作って作業にかかった。それを私ももらって参加しました。

銀行の役員から「部員ってある意味、偉いんだぞ。何でも言えるから局長よりも偉い」なんておだてられて。籍は総合開発局・開発計画課にありました。

最初は「全国総合開発計画」という大風呂敷がしかれた。私は一晩でその草案を書き上げてしまって、みんなが「ああそうか、こういうのでいいのか」と、それが衣替えして「所得倍増計画」になっていったのです。

渡邉　「所得倍増計画」というネーミングは確かにわかりやすくていいですよね。

日下　ネーミングの勝利、というか。マクロ経済の計算がそのころ流行っていて、今から思えばただの机上の遊びなんですが、年七・八％で成長すれば十年で倍になりますよ、という内容です。今では中学校の教科書にも載っていますね。

ある若手の学者が「日本経済のどこかに確かな実力があってもうすでに七・八％ずつ上がっている。この調子では十年は続くだろう」と、ただそれだけの内容なのですが、国民にやればできるかもしれないという、やる気と希望を与えたことは確かでしょう。

渡邉　その所得倍増計画を真似したのではないかと思うのが中国の「保八」で、二〇〇〇年代後半の中国で盛んに言われました。

一二年三月の第十一期全国人民代表大会第五回で温家宝《おんかほう》首相が実質成長率を七・五％とし、従来の八％の成長目標が崩れたと大騒ぎになりましたが、「八％の成長率を堅持して超大国を目指す」というのが、朱鎔基《しゅようき》がはっぱをかけた「保八」政策でした。

ＩＭＦが発表していたそのころの世界経済成長率は三・五％ほど。中国の伸び率は突出していました。国の政策として強気の数字を挙げて驚嘆の経済成長率を実現する、というのは「所得倍増計画」も「保八」も同じようなものでしょう。

日下　確かに似てますね（笑）。これは余談ですが、所得倍増計画の後に、「幸福倍増計画」という提案が出ました。

しかし私の上に喜多村治雄という偉い人がいて、「死んでもそれは作らせない」と断固拒否した。「幸福というのは国民一人ひとりが持っているものなんだ。それを国家がいじくり回すとは何事だ。経済企画庁にそれを作れと命じるなら俺は辞める」と言った。経企庁にはそういう気骨のある人もいました。

「KOGAI」問題は日本が世界に発信

渡邉　所得倍増計画は十年かからず、三年前倒しで達成しましたよね。

日下　しかしわれわれはそんなことには驚きませんでした。だから上司から「七・八%成長はもう手のなかにある。実現へ向かって進んでいくだけだ。そこで次に何が問題かお前ら考えろ」と課題を与えられました。

私は即座に「それは公害です」と答えた。

なぜ私がその問題に気づいたかといえば、趣味でヨットをやっていたため、四日市の海の環境破壊を目の当たりにしていたからです。

公害問題をレクチャーして、対策として環境庁の設置を提案しました。環境庁という名前は後でつけたものですが。当時は公害問題の恐ろしさを口でいってもわからないから役所を作る必要があったのです。

そのときに厚生省の役人で偉い人がいて、「それは俺がもうずっとやっていることだ。新しい役所を作ってくれるんなら、そこへ行く」と言ってくれた。

渡邉　公害問題が昭和三十四〜五年あたりからひどくなってきて、四十年代の前半ぐらいにはもう四日市周辺は人が住めないようなスモッグだらけの状態になっていました。これを見ると、中国のここ十年の記録と一緒だなと（笑）。

先生のおっしゃるとおり、当初、公害そのものが強く認識されてなかった時代ですからね。空気が汚いとか、その程度で、それが産業の発展を妨げるという概念がなかった。

日下　そのころの関係者はみな先覚者ですよ。私も名前を出されても「いえいえ、その他にもいっぱいいますよ」と答えていました。

実は公害という概念は翻訳ではなく、日本が発信したものです。

当時世界で環境問題といえば、ロンドンが有名でしたが、英語でパブリック・ニュイサンス（public nuisance）といっていました。

先に述べた厚生省から来た橋本さんがえらい情熱的な人で、英語で世界中に手紙を書いた。公害を英語でどう訳せばいいかわからなかったから、「ＫＯＧＡＩ」とタイプライターに打った。だから公害という日本語を世界に広めたのはこの人なんです。

渡邉　ＫＡＩＺＥＮみたいなものですよね。トヨタのカイゼン（改善）。日本が先に作ってそれが世界の共通言語になって。

公害を認識することにより、環境と調和していこうという考え方ができてきたわけじゃないですか。

地政学的にいうと日本は島国だから逃げられないから環境問題に対し余計に敏感なんでしょうね。大陸の人たちは移動すればすむから。


日下　そうですね、住み荒らして逃げる。だから大陸の憲法には居住地は国家が指定すると書いてある。住んでいるところを、動くなよっというわけです。

次に経企庁は私に全国総合開発計画を書くよう命じました。「急いで書け。そのためにはお前の手伝いができそうな奴を三、四人集めろ」と言われたのですが、集まったのは皆、若き「新官僚」時代に満州国建設のグランドデザインを引こうとした人たちでした。日本が理想を実現させようとした満州国で果たせなかった夢を、戦後日本で果たそうとした。夢をもう一度、というか、ね。

計画は四段階でした。

まず第一は人口配置計画。それに従って次は産業配置計画。とにかく人を食わすということです。

三番目が鉄道計画。人や物を運んで経済を活性化させなければいかん。これは金さえあればできることです。

最後に来るのが都市開発計画。ここまでやって日本再建のグランドデザインは完成するのだ、と。

この最後のプランは経済企画庁のプロパーが力説していました。その人が当時、私の上司でした。満州国作りをやったのは六人いたといわれていますが、そのなかの一人ですね。

準備作業は別途庁内で進行していて、「二十年長期展望」と題された小冊子がありました。今でもよく覚えている第一ページの書き出しに「限りある資本を有効に用いるため……」とあり、これには感心しました。世界に冠たる資本乱費国になってしまった今の日本は、この原案に帰らなければなりません。

防共コリドール(回廊)・プランに従事した人たち

日下　戦前の日本人は立派です。地政学もよく研究していた。日本には一つの壮大な計画があって、それは陸軍参謀本部、海軍軍令部を中心にそこの中佐クラスの若い俊英たちが総力を傾けて作成したものでした。「コリドール計画」と呼ばれたもので、アジアの南側をぐるりと回廊（コリドール）のように弧を描くように防共ラインを引いてしまおう、というものです。

陸軍士官学校の生徒のなかで、「死んでもいいと思う者よ、集まれ」といった極秘の命令を下して、潜行スパイとしてインドやモンゴルの向こう側まで派遣した。なかには「日本航空企画部長」などという名刺を渡されて現地へ行った人もいた。その本は戦後、古本屋で買いました。

防共ラインによって中国を東から西まで包囲してしまうという遠大な計画ですから、イラン、イラクまでがその範囲で、もちろんウイグルやチベットも含まれています。

渡邉　麻生外務大臣時代に構築した日本の外交方針「自由と繁栄の弧」も中国を抱え込む

形になっていますね。その発展形は安倍総理の「セキュリティダイヤモンド構想」であり、米国、インド、オーストラリアを巻き込んだインド太平洋プランになるわけですね。アメリカはアジア再保証イニシアチブ法を成立させ、これを明確にした。

それを日本は戦前から構想していたのですね。

日下　そうです。民間でも、たとえば東本願寺の法主・大谷光瑞《おおたにこうずい》などは膨大な金を使って探検隊を出して「コリドール」を歩き回っています。そこで無数の文化財を買い集めてきました。戦前から日本人はアジアを歩いて、大陸をこの目で全部見てきたわけです。

自由学園出身の新兵の気概

日下　戦前は暗黒時代だった、すべてが悪かったというのは多分に眉唾《まゆつば》もので、暗いなかにも日本人の柔軟性がうかがえる、いい話も実はたくさんある。悪の巣窟《そうくつ》のように言われる軍隊にも、ちょっとしたいい話があります。

以前、朝日新聞に載っていた話ですが、京都大学の北門のすぐ近くにある、戦前からのパン屋さん、たしか駸々堂といいます。続木さんという息子さんが東京の自由学園に入って二十歳のとき陸軍に引っ張られた。

新兵の度胸付けというか度胸試しで、陸軍は三カ月目くらいに捕虜を相手に人殺しをさせるんです。捕虜を目隠しして立たせておいて「こいつを銃剣で刺せ」と。

残酷なようですが、人殺しができて一人前の兵になれる、というわけ。そこで入隊して三カ月たった二等兵の続木さんは「次、続木二等兵！」と号令をかけられると「ハイ！」と答えてタッタッタッと走り出して「エイッ」と刺すのですが相手の前でピタリと銃剣が止まってしまう。二度、三度命じられて繰り返すのですが、どうしても同じく手前で止まる。

上官はそれを見て、「お前はダメだ。仕方ないから靴をくわえて犬の真似をしてグラウンドを一周してこい」と命令して許してくれた、というのです。

続木さんはずいぶん苦しかったのだと思います。

「できません」とは言えないから、突き刺すべく突進だけはする。けれどピタリと止めてしまう。見ている上官もつらかったのでしょう、結局、許してくれたというわけです。

自由学園がそういう人間を育てていた、ということでもあるのですが、上官にも人の心を持った人がいたという話です。日本の軍隊というと、これはもうダメ、ひどかった、残酷だったという話ばかりが伝わっていますが、これはいろいろと考えさせられる話です。続木さんはいい上官に当たって幸せだったわけですね。

「意気地のないしょうがない奴だが、実戦となればやる気になるだろう」と許してくれたのだと思います。戦争中であっても日本社会というのは言われているほど狭いものではなく、実際には案外と幅があったということなのです。

パン屋さんは確か今でもあり、京大の先生や学生たちで賑《にぎ》わっているそうです。ほかにも許された兵がいて、それはお寺の僧だと聞きました。

ですから、日本軍もいろいろでした。

日本兵の質の高さに驚いた世界

日下　戦前のごく普通の日本人のレベルが高かったということを兵士の例を挙げて考えてみます。戦後は戦前の日本を全否定しましたから、兵士などはそれこそ虫けらのような惨めな存在で一顧だにされませんでしたが、彼らも人間、れっきとした日本人です。彼らが文明国の人間の水準から見て、いかに高かったかは、アメリカ出身で日本文学の研究家として著名なドナルド・キーン氏が証言しています。

彼は第二次世界大戦ではアメリカ軍の情報将校として日本語の通訳官の職にありました。戦場に残された、戦死した日本兵の日記や手紙を読んでレポートとして提出するのも任務の一つでした。

戦後、彼は「日本人は皆、詩人だった。洗練された兵ばかりだった」と書き記しています。兵士一人ひとりが例外なく風流な人間であった、と。

兵士の軍服のポケットの日記には、まず天候の記述があり、日々の情景、自身の心情が簡潔な言葉で記されている。南洋の島のヤシの木、雄大に沈む太陽、満天の星々。多くの日記にはスケッチもあり、苛酷な戦場にあって、周囲の自然のなかの目に映った一コマ一コマを書きとめていた。俳句も詠み、短歌も添えた。ごく一部の兵だけのことではなく、大多数の兵士がそうであったというのです。

キーン氏の証言を覚えていた私は、アメリカの海軍兵学校内にある戦争記念博物館で日本兵たちの手帳を見て、深い感銘を覚えました。

キーン氏が書いているとおりでした。日本兵は一刻の時を惜しむかのように短文を書き、絵を描いたのでした。手帳がアメリカの博物館にあるということは、この兵士は死んだか捕虜になったということでしょう。死に臨んで歌を詠むなどということが欧米の兵士にできるでしょうか。そこまでの精神性を敵兵は持ち合わせていたでしょうか。キーン氏の驚きは、私たち日本人の誇りとして覚えておいていいかと思います。

もう一つの証言を紹介しましょう。

大西洋単独無着陸飛行を成し遂げたチャールズ・リンドバーグは、陸軍航空隊のアドバイザーとしてガダルカナル方面の戦場にいました。そのときの経験を本に書き、戦争の残虐さを告発しています。それによると、アメリカ軍は投降した日本兵を射殺することにまったくためらいがなく、捕虜として捕えるとその場に並ばせて英語を解する兵だけ尋問のために連行し、あとは射殺したと目撃談として残しています。アメリカ兵は日本兵の死体を発見すると棒で口をこじ開けて金歯を抜き取り、耳や鼻は乾燥させてスーベニア（お土産）として持ち帰った、とも。「アメリカ兵は酷いものだ。同胞として恥ずかしい」と正直に回顧しています。

キーン氏の証言と比較してみると、兵一人ひとりの人間としての質の高さには隔絶したものがあることがわかります。世界水準からしてはるかに完成された日本人の個々人が涙を飲んで死んでいかねばならなかったことの悲しさを噛みしめるしかありません。

渡邉　マッカーサーとともに日本を占領するためにやってきたアイケルバーガー中将は、「世界の陸軍将校が誰でもなってみたいと思うのは、日本軍の大隊長である」と言っていた所以《ゆえん》ですね。

「日本軍の兵士は言いつけたことは必ず遂行する。しかも、気を利かせて上官の命令以上のことを達成してくれるのだから、日本軍の大隊長ほど幸福な指揮官はいない」と。

暗黒の時代は短かった

日下　私は戦前の日本を、とにかく暗黒で、軍国主義一辺倒だったとする歴史の整理の仕方には違和感を覚えます。私の実感としては、暗黒時代と言われるべき期間は、終戦までの数カ月のことであったかと考えています。

大正時代の日本には、自由な大衆文化が興隆していました。その延長が昭和十四年までは続いていたというのが、私の印象です。その後の急変があまりに急でした。学校教育が変わり、町の雰囲気が一変しました。

教科書でいえば、昭和七年までは冒頭が「ハナ　ハト　マメ　マス」で始まる通称「ハナハト読本」でした。翌八年から昭和十五年までが「サイタ　サイタ　サクラガ　サイタ」で始まる通称「サクラ読本」で、私はこの教科書で習いました。大正時代の自由で民主的な雰囲気が残っていた教科書です。

昭和十六年に尋常小学校は国民学校と名を変え、そのころからいわゆる暗黒時代が始まるのですが、教科書は「アカイ　アカイ　アサヒ」で始まる「アサヒ読本」。これが終戦まで使われました。そのころが転換点で、自由・民主・言論が圧殺されたのは、実はわずかな数年のことだったのではないでしょうか。

戦後になってアメリカが「戦前の日本は軍国主義だった」「暗い国家統制の時代だった」と喧伝《けんでん》したために、戦前の日本はまるで今の北朝鮮のような国だったと刷り込まれている人も多いでしょうが、それは事実に反しています。人間はどうしても、平凡な事実やエピソードは忘れやすく、つらく苦しかったことが記憶として残されやすいというバイアス（偏り）も考慮に入れなければなりません。誇れるところはなかったのではなく、十分にあったのだと胸を張っていいのです。

優れていた戦前の初等教育

日下　大正八年から昭和十五年まで、教科書の改訂はありませんでした。尋常小学校の授業で多くの時間が割かれたのは国語で、一年生は週二十一時間のち十時間が、二年生は二十三時間のうち十二時間が当てられていて、全授業の半分を占めていました。三、四年生も十二時間、五、六年生は九時間。学年が進むと週当たりの時間数が増えたので全体の比率は三～四割と下がるが、それでもどの学科より時間数が多いのが国語でした。戦前の日本教育は国語重視だったのです。

人は言葉を通して他人の考えを理解し、自分の考えを伝えます。コミュニケーションの大切さは国語によって会得されます。自分の考えや思いを表明し、記述する体系を成長期に学ぶのは国語の授業からです。頭脳の働きは言葉となって表されるので、まずはその言葉を覚え、使うことで人は賢くなっていく。人間形成のすべてのベースとなるのが国語である、ということを戦前の日本はよくわかっていたのです。

他のどの教科、算数（戦前は算術といった）も歴史も理科も日本語で習うのですから、そもそも文章の理解が間違っていたら困ってしまう。今でも概して国語の成績のいい生徒は他の教科の成績もいいということがその証拠です。

戦前の小学校では、国語でいたずらに難しい表現や言い回しを教えたわけではなく、その子が社会に出て職人の親方や会社の先輩から用事を言いつかったり、わからないことを質問したりするときに、意思の疎通がきちんとできるよう、社会人として当たり前の会話ができるよう、そういう常識を教えていたのです。

これは実に理に適った、正しい教育であったと思います。人間としての練度が鍛えられた、ということです。初等教育に背骨が通っていたと思うのです。これは戦前の日本の良かった点として特筆しておくべきことではないでしょうか。

もう一つ、私が戦前の教育の美点として挙げたいのは、義務教育の教科書が有料だったこと。無償になったのは昭和三十八年（一九六三年）からで、それまでは誰もが教科書はお金を出して買うものでした。そこで培われたのが互助の精神です。

兄や姉は大事に使った教科書を弟や妹に譲り、貧しい家庭で教科書が買えないとなると親戚中を駆け回って都合をつけた。一度ルートがつけば六年間の教科書が確保されます。大正六年から昭和十五年まで、尋常小学校の教科書の改訂はたった一回でしたから安心でした。改訂が頻繁に行われる現代とは違います。

弟妹がいない家庭では卒業時によく、教科書を学校に寄付したり、村のお金持ちが貧しい家のために教科書を買って寄贈したりもしました。

一冊の教科書を受け継いでいくなかで連帯感も生じました。有料であるがゆえに自然と「大切に扱わねば」「もっと勉強せねば」という気持ちになり、学校が日本人の精神を涵養する場となりました。モノを大切にする心、あるものを最後まで使い切るという気持ち……。そういう日本人の美質は教科書を大切に扱うというところから育まれたのだと考えています。国の貧しさが理想的な人間形成のバネとなった好例です。

略奪ではなくWinWinの関係が「八紘一宇」

渡邉　だから朝日新聞をはじめとしたメディアが戦前というものを絶対悪のようにいうのが問題なんですよね。ＧＨＱの教育もあるんでしょうけど、戦前の日本人の育ってきた環境を考えてみると絶対悪であるはずがない。
なぜ戦争をしたのかと問題提起しますが、それも一つの偏った歴史観にすぎなくて、日本は追い込まれて戦争せざるをえなかった、日本の意志で主体的に戦争を選んだというのは当時の国力への過大評価です。百歩譲って様々な可能性のあるなかで日本が選択した結果だとしても、やはり絶対悪ではない。

だから戦前にしても戦後にしても、よい部分、悪い部分をきちんと再評価しなければいけないんだと思います。ここ七十数年、日本人は戦争というものを「見てはいけない、触ってはいけない、触れてはいけないものだ」というようなアンタッチャブルな存在に育ててしまった。

アメリカやメディアに育てられたかもしれないけど、そこに大きな間違いがあって、今の韓国との問題も、北朝鮮・中国との関係も様々な問題も引き起こしています。世界が混乱していくなかで、絶対悪の存在というのはそれぞれどこにおいてもないという見方を改めていく必要があると、先生のお話をお伺いして思いました。

日下　戦前の日本人の考え方を総括すれば、他国からの略奪ではなくWinWinの関係、それを「八紘一宇《はっこういちう》」と唱えていたのです。

第三章

日本は世界よりも江戸から学べ

江戸は「自前」の時代

日下　世界は「江戸」を見習えというのが私の持論です。逆にいえば国家は進歩していない。東洋的とか近代以前というように江戸時代を遅れているとみるのは欧米製のメガネをかけているからですよ。素直にみれば江戸の日本は世界の最先進国です。

渡邉　山本七平が書いているように、江戸時代というのは明治のようにひたすら西欧を追いかけ真似したわけでも、戦後のようにアメリカに追随したわけでもない「自前」の時代といえるかもしれません（『日本資本主義の精神』）。

江戸の人口は一〇〇万人でしたが、当時ヨーロッパのロンドンやパリでさえも五〇万人前後でしたから、実は江戸は世界に誇る大都市だったんですね。しかも治安もよかった。江戸の街は碁盤の目のように区切られ、木戸を作って夜間には閉じてしまいましたから、そもそもよそ者が入り込む隙はなく、犯罪も少なかった。

日下　江戸時代の日本というのは島国のなかで様々な人たちが暮らしていたでしょう。大名、小名が三三〇人もいて、各藩はそれぞれ独立国だったけど、同時に皆一緒の「日本人」であるという意識を持っていました。

各藩は独立国であるとともに、天皇や徳川将軍を上にいただく秩序に服していたわけです。対外的にみても、軍事力がアジアで最強だったときに鎖国を始め、侵さず侵されずを身をもって実行しました。世界史を見渡しても平和と繁栄がこれほど長く続く幸福な国の姿は江戸と、そして今の日本しかない。

江戸時代に創造され、流行した文化・文明は現在の日本にも脈々と受け継がれており、その日本文化に世界中の人たちが憧れている。歌舞伎や文楽、相撲や柔道、寿司に天ぷら、俳句も浮世絵も着物もそう。江戸時代に端を発するものが世界中に文化商品として輸出されている。

渡邉　鎖国という閉ざされた世界のなかで、安定した四百年という長い統治が続き、様々な文化が花開き成熟した。西洋が知らず西洋を知らない隔離された巨大都市文化、それが江戸文化だったということなのでしょうね。

十九世紀末から二十世紀初頭にかけてヨーロッパを席巻した美術運動であるアール・ヌーヴォー（Art nouveau）は、「新しい芸術」という意味であり、日本の浮世絵の強い影響を受けている。

明治維新の前年、一八六七年　日本はパリで開かれた万国博覧会に初めて参加した。この際、江戸幕府、薩摩藩、佐賀藩が日本の芸術品（浮世絵、琳派《りんぱ》日本画、工芸品）を出品し、世界の芸術家に大きな衝撃を与え、それがジャポニズムという巨大なムーブメントになったわけです。有名な作品ではゴッホによる『名所江戸百景』の模写やクロード・モネの着物を着た少女などが挙げられますね。

また、その後のモダニズムの流れを受けたアールデコにおいても、日本の影響は健在であり、今も販売されているルイ・ヴィトンの「ダミエ」や「モノグラム」は、市松《いちまつ》模様や家紋の影響を受けているとされています。

日下　日本文化そのものが高付加価値商品になるということは、同業者がいないということです。貿易摩擦が起こる心配もない。日本人の生活やレジャーそのものが輸出産業になっている時代です。外国人が「日本人のようになりたい」と思ってくれれば、軍事や外交面でもプラスとなる間接的効果もあります。

反グローバリズムの潮流だからこそなおさら江戸時代という実に多種多様で豊かな文化がますます見直されるでしょう。世界のトップランナーである日本が目指す先が、実は「江戸」という過去にあったというのは面白いことだと思います。

もちろん京・大阪も忘れてはいけません。ホントは江戸より京・大阪です。

渡邉　温故知新、故《ふる》きを温《たず》ねて新しきを知るですね。人口増加と移動時間短縮により地球という空間が小さくなってゆくなかで、どのように争いごとを避けて、どのように調和してゆくか……。確かに江戸はそのモデルケースなのかもしれません。

今の世界の目標は江戸時代が達成していた

渡邉　ただし、問題はそれは海洋文化と島国という特殊性が生んだものであり、大陸国家の人たちが文化と価値観を共有できるかですね。

日本という限られている土地のなかでは、焼き畑農業は成立しえなかった。このため、水田という水耕栽培が生み出され、同じ土壌で継続して生産する農法が編み出された。

これは工業でも同様で、先述した公害問題も、同じ土地に住み続けるためには環境破壊をしてはいけないということを文化的に得ていたことがその改善を生み出したといえます。日本の最先端の水浄化技術、土壌浄化技術もその前提があってのことです。

しかし、中国などを見ている限り、これを共有するのは難しいのではないかと思えてきます。土地がダメになればほかの土地に移り住めばよい。これが遊牧民の基本的な考え方であり、大陸の文化の特徴でもあるのかと思います。

今、世界では　ＳＤＧｓ（持続可能な開発目標）という17の目標を定めています。

1．貧困をなくす…「あらゆる場所のあらゆる形態の貧困を終わらせる」

2．飢餓をゼロに…「飢餓を終わらせ、食料安全保障および栄養改善を実現し、持続可能な農業を促進する」

3．人々に保健と福祉を…「あらゆる年齢のすべての人々の健康的な生活を確保し、福祉を促進する」

4．質の高い教育をみんなに…「すべての人々への包摂的かつ公正な質の高い教育を提供し、生涯学習の機会を促進する」

5．ジェンダーの平等…「ジェンダー平等を達成し、すべての女性および女児の能力強化を行う」

6．安全な水とトイレを世界中に…「すべての人々の水と衛生の利用可能性と持続可能な管理を確保する」

7．エネルギーをみんなに、そしてクリーンに…「すべての人々の、安価かつ信頼できる持続可能な近代的エネルギーへのアクセスを確保する」
8. 働きがいも経済成長も…「包摂的かつ持続可能な経済成長およびすべての人々の完全かつ生産的な雇用と働きがいのある人間らしい雇用（ディーセント・ワーク）を促進する」
9. 産業と技術革新の基盤を作ろう…「強靭《きょうじん》（レジリエント）なインフラ構築、包摂的かつ持続可能な産業化の促進およびイノベーションの推進を図る」
10. 人や国の不平等をなくそう…「各国内および各国間の不平等を是正する」
11. 住み続けられるまち作りを…「包摂的で安全かつ強靭（レジリエント）で持続可能な都市および人間居住を実現する」
12. 作る責任つかう責任…「持続可能な生産消費形態を確保する」
13. 気候変動に具体的な対策を…「気候変動およびその影響を軽減するための緊急対策を講じる」
14. 海の豊かさを守ろう…「持続可能な開発のために海洋・海洋資源を保全し、持続可能な形で利用する」
15. 陸の豊かさも守ろう…「陸域生態系の保護、回復、持続可能な利用の推進、持続可能な森林の経営、砂漠化への対処、ならびに土地の劣化の阻止・回復および生物多様性の損失を阻止する」

16．平和と公正をすべての人に…「持続可能な開発のための平和で包摂的な社会を促進し、すべての人々に司法へのアクセスを提供し、あらゆるレベルにおいて効果的で説明責任のある包摂的な制度を構築する」

17．パートナーシップで目標を達成しよう…「持続可能な開発のための実施手段を強化し、グローバル・パートナーシップを活性化する」

これから先生と詳しく話していきますが、この世界の目標と江戸時代の日本の在り方は一致しているように思います。

文化創造のための五つの条件

日下　そう思います。渡邉先生のお話はすべて物事の真実をつかんでいて気分爽快《そうかい》です。日本人にはわかりきったことばかりですが、もう少し続けましょう。

一般に文化創造のためには五つの条件があります。①豊かな経済力、②国民の知識水準の高さ、③文化の歴史的伝統とその高さ、④切磋琢磨《せっさたくま》の機会の豊富さ、⑤商品化するための多種、高度な加工産業の存在――ですが、江戸はこれを十分満たしています。

経済は鎖国でもやっていけるほど自給自足で潤っていました。たとえば大阪のコメ市場は幕府の介入などない、売りと買いで価格が決まる最先端の市場を作りあげていた。つまり今でいう「市場原理」でしょう。

またエネルギーにしても外国に頼っていなかった。もともと日本は石油を抜きにして文明を作ってきました。西ヨーロッパも産業革命以前は木材エネルギーで国家運営してきた。日本はそれを自国内で賄ってしかも世界最高に豊かだった。

教育水準は農家の子供も寺子屋に通うほど高く、和算など数学も発達し、今のインドの数学教育に勝るとも劣らないほど数学熱も高かった。『塵劫記《じんこうき》』という数学の本がベストセラーになっているくらいです。

また、農民は土木や建築にも長じていました。

有名な日本地図を作った伊能忠敬《いのうただたか》が測量に訪れたときは大歓迎して率先して農民が手伝ったといいます。測量隊が夜寝ている間に、金目のものが盗まれるという心配もなかった。ということは、国民の多数が地図の価値を理解していたということです。現代人からすれば地図の重要性は自明ですが、世界をみれば近代にいたるまで全国地図のなかった国のほうが多い。

歴史伝統は脈々と受け継がれ、各藩が地元の工芸品作りを奨励していましたから、工業技術も高かった。

各地の工芸品は将軍様のお膝元である百万都市の江戸に上納されて切磋琢磨されるから、より良い商品に改良される。いってみれば万国博覧会を常時開催しているようなものでしょう。

国内の治安もよかった。庶民は全国各地を旅行できました。有名な「お伊勢参り」ですが、そのとき農民は産物や農法を学び、そして種子をたくさん集めて帰る、遺伝子集めの旅でもあったわけです。

このように文化創造のインフラは江戸時代にすでにそろっていたのです。

渡邉　伊勢への「おかげ参り」には飼い犬が一匹で行ったという記録も多数残ってます。病気など体の事情で参詣《さんけい》できない主人に代わって遠路はるばる犬が行くのですが、その首には道中でかかるお金や伊勢参りをする旨を書いた手紙をしめ縄でつけていた。

面白いことに、そのお金を誰も盗まなかったといいます。文字どおり犬にも劣る人間は江戸時代にいなかった、ということでしょう。

人口減少問題は参勤交代を参考にせよ

日下　面白いお話ですね。同感します。日本は人口減少を大きな問題だと騒いでますが、これも江戸が参考になる。養老孟司《ようろうたけし》さんの意見ですが過疎地の問題は「参勤交代」がヒントになる。日本は山のなかまで道路だらけで、ものすごく便利で都会と違って渋滞もないから、日本人全員が都会と田舎に二つ住居を持ち、一年の半分は田舎で暮らすように参勤交代すればいい。

もともと日本人にはフットルーズな人とフットタイトな人の二種類にわけることができます。

要するに足が軽い人と重い人ですが、おそらく江戸時代の幕政の影響があるのでしょう。農民は土地に縛りつけ、武士は参勤交代で見聞を広める国家システムだからです。この違いが顕著に表れたのは明治維新後、憲法で住居地選択の自由が全国民に認められてからのことです。

明治は民主主義で国政は全国に対して平等・画一になり、そのうえ経済は発展して完全雇用になったから、たくさんの人が住みやすい地域を求めて大移動した。そのため、フットタイトな人は移動せず、地域間に所得格差が生じ、それは文化格差にもつながった。これを解消するためにも日本人を「フットルーズ」する参勤交代が参考になるでしょう。

渡邉　人為的な人の移動、インターネットなどの普及で自宅でできる仕事も増えているので、地方に対する税制上の優遇処置と都市の高税率化をすればよいのだと思います。

地方の法人税を下げて、住民税も優遇する。また、新規の住所移転者に対しては、一定期間の固定資産税などの優遇も設ける。

逆に、都市部はゾーンに分けて、中央に近い部分から税率を上げてゆく。ロンドンなどがそうですね。都会に住めば税金が高く、地方に住めば税金が安い。企業なども地方に移転するところが増えるのではないでしょうか。

日下　また、高齢社会の生き方についても江戸はいい先例となります。

江戸時代は第一線を退いてからの人生を、「老後」とは言わず、「老人」といい、「老に入る」「老境に入る」といって、その準備を四十歳から始めていました。もっと前から準備をしている人もいて、長唄や盆栽、踊りなどの芸事を習ったり、和算や寺社の由来や地図の作成などの研究をしていました。

伊能忠敬がそのために店を出たのも隠居してからのことです。『奥の細道』の旅に松尾《まつお》芭蕉《ばしょう》が出たのも四十五歳のときです。江戸時代の四十五歳は立派な老人です。

日本では「老の尊厳」が認められているので、老人と呼ぶことは失礼なことに当たらないんですね。これは中国から来た文化で、中国では老は尊称です。老酒はいいお酒の意味ですし、老師は優れた先生の意味で年齢が自分より若い相手でもそう呼ぶ。

今世界中が高齢社会になっているのだから、世界も江戸を見習って老いを尊重する社会になればいい。

高齢社会は高齢者へ向けてのビジネスチャンスにもなります。特にシニアのなかでも約六五〇〇万人と一番多い団塊の世代をターゲットにすればいい。退職金は約八〇兆円ともいわれ、大金持ちはまでいかなくても小金持ちはたくさんいますから。

盆栽、俳句、木彫り、そば打ち、水墨画、参禅、写経、囲碁・将棋、茶道や書道、ペット、釣り、ゲートボール、登山、読書、生涯学習、孫の世話、スポーツ観戦などなどいくらでもあります。

渡邉　先生、そこは先生のように「いつまでも働いていただく」というのも一つの選択肢では？

近代資本主義では、「労働は倫理的性格の活動ではなく、労働者の生存を維持するために止むをえず行われる苦痛に満ちたもの」と定義され、階級闘争を謳《うた》うマルクス経済学では、資本家の搾取の対象とされています。

しかし、私はそうではないと考えます。

体が動く限り仕事を続けた私の祖父は「傍《はた》が楽になるからはたらく」と私に教えました。働くことは生業であり、仕事は稼業であると私は考えます。

確かに仕事はつらいこともありますが、そこには成功したときの楽しみや充実感も存在すると思うのです。

また、見つけようと思えば仕事はいくらでも見つかります。まぁ、「やりたいこと」と「できること」が違うというのはありますが、やらない理由やできない理由を探すより、よほど楽しいと思うのです。

また、今の日本では技術の伝承も大きな問題になっています。技術をつないでゆく、これは熟練した高齢者でなくてはできない側面も大きいと思います。

戦後の学歴偏重社会を見直し、学力テストだけでなく、技術も人の評価の対象にする。

その意味では今の大学や教育の在り方からの改善が必要で、技術に正当な報酬を払うという社会構造改革も必要です。

簡単にできないことはわかっていますが、だからこそ、政治の目標を失ってよいという話ではないと思うのです。

リサイクル国家だった江戸

日下　江戸も十七世紀半ばの元禄《げんろく》時代を迎えるころには、リサイクルが確立していたと研究者はいいます。

当時、江戸っ子には初物ブームといって初物を食べると七十五日長生きするとして競うように食べていました。そのため近郊農家では、一日でも早く作物を実らせようと生ごみを肥料に使うようになって、誰の発見かはわかりませんが、生ゴミを地面に埋めて発酵させ、油紙をかぶせて保温するようにしたことで作物の発育が早くなった。したがって、農民は野菜や薪を持って江戸の家々を訪ね、糞尿や生ゴミと交換していました。

それだけでなく、当時すでに糞尿専門の回収業者が存在し、糞尿を畑の肥料として使っていたことが記録に残っています。肥料の始まりは鎌倉時代まで遡り、それが農業の発達↓人口の増加↓農地争奪戦↓戦国時代になったともいいます。

人糞以外にも回収業者があって、傘や紙くず、灰、古着、蝋燭《ろうそく》、屑鉄《くずてつ》などの不用品を集めていました。着物の縫い直しや障子、畳、襖《ふすま》の張り替え、布団の打ち直しなど、一つのものを直しながら長く使っていく直しの文化が形成されていたのです。

つまり、今でいうところのリサイクル業が成立していた。江戸のリサイクル業者は二つのタイプに大別されます。

いま挙げたような回収専門の業者と道具や器具の修理や再生が専門の業者です。

また、日本には世界に誇る保存・修復技術が存在しています。そして世界の文化遺産の保存には、現在でも多くの日本人が活躍している。

たとえば、アンコールワット遺跡群保存のためのカンボジアとの研究協力や、モアイ像の修復も日本人が手がけました。

それから、海外からの研修生を招き、京都の文化財保護技術を伝える活動もしていました。国によっては文化財を保護しようという考え方自体がないこともあって、そういう意味では日本は精神文化も伝承しているのです。

ようするに「もったいない」の文化ですが、これは今や世界の共通語になっている。もったいないの精神は江戸時代の日本人には体の芯まで浸透していたといっていいでしょう。江戸は、立派な食物のみならず生活全体のリサイクル・システムを持っていたのです。

治安がよくインフラも発達

日下　一方、同じころのヨーロッパの都市では、生ゴミも糞尿も道に捨てるのが当たり前だったため、コレラやペストなどの伝染病が蔓延《まんえん》した。実はヨーロッパで世界に先駆けて道路が舗装されたのは、実はこの衛生状態をよくするためですが、対照的に江戸は世界一清潔な都市でもありました。「江戸の街はまだ誰も歩いていないように清潔である」と評した外国人もいます（『ドン・ロドリゴ日本見聞録』）。

ヨーロッパとの比較でいうと、上水道の建設も江戸は断トツの世界一位でした。神田上水・玉川上水・青山上水・三田上水・亀有上水・千川上水など六上水が整備され、神田・玉川上水は、当時、総延長が一五〇キロメートルもありました。同時期ロンドンの上水道が三〇キロメートルですから圧倒してます。

また下水にしても、江戸にはたくさんの堀や川が流れており、下水道の役割を果たしていました。したがって、街中に幅三尺から六尺（〇・九〜一・八メートル）の下水が流れていましたが、当時は家庭から出る雑排水もそれほど汚れていなかった。

ワシントン大学教授で江戸の研究者のスーザン・B・ハンレーは「下水がきれいなので病気が少ない町だった」と書いています（『江戸時代の遺産　庶民の生活文化』）。

さらにごみの処理や自治の仕組みまで完成しており、江戸から地方への輸送・交通・通信・商取引・金融の手段まで整備されていました。道路・運河・港湾・早馬・飛脚・宿場があり、安全かつ衛生的でした。


渡邉　ですから世界中でインフルエンザが流行ったとき、これは江戸というか明治初期ですが、日本では他の地域に比べて死亡率が非常に低かった。

様々な流行病に対しての隔離治療を日本はかなり早い段階から学んでいたと言われています。

また、江戸時代には警察というシステムが始まっていました。

江戸の庶民の人口が五五万人前後ですが、町奉行所の役人は三百人足らずで、世界の他の大都市に比べて非常に少ない。

その理由は今でいう行政の仕事を民間が果たしていた役割が非常に大きかったからです。町の人たちが自主的に町を守っていた。

たとえば、三人の町年寄りを筆頭に、その下に二百数十人の町名主がいて、町長のような役割を果たしていました。

ある意味小さい政府だったといえるのだと思います。

日下　消防の歴史も江戸時代に始まっていますね。「火事とけんかは江戸の華」といわれるように、江戸の町には火事がとても多かったのですが、江戸の初期には消防組織はなく、武家屋敷の火災は大名や旗本があたり、町屋の火災は町人があたっていました。ところが明暦《めいれき》の大火に対応できなかったことから、翌年の一六五八年に、幕府は「定火消《じょうびけし》」を創設し、町方の消防組織は「店火消《たなびけし》」といわれる人足を雇うようになった。これが始まりです。

消防といっても当時は放水による消火ではなく「破壊消防」で、延焼を防ぐため風下にある家を壊して消火しました。そのため、建築物の構造をよく知ってる鳶職《とび》の人が町火消となった。

現在の消防士と比較すると、彼らは町から月日当や出勤費用、法被、頭巾などの支給はあったものの、報酬は危険を担保できるほどのものではありませんでした。つまり、「江戸の華」と呼ばれることへの誇りや、生きがいから、その職務に就いていたのです。

これは余談にそれますが、新橋のほうに慈恵医科大学という大学があります。私の学生時代、その大学に友人が五、六人いたのですが、彼らは勉強せずに麻雀で遊んでばかりいた。

ですが、彼らがいうには「遊んでいてもわれわれは日本中の医者から尊敬される」。何でも慈恵医大というのは安政五カ国条約で港を開いて以来一番古い医科大学で「熱帯病のタチの悪いのが日本に入ってくると真っ先に行って検疫して治療するのが慈恵大の学生」だったからだ、と。病気の予防は手洗いとうがいが基本ですが、それを広めたのも慈恵大だと。

そういう環境にあったため、日本で一番先に熱帯病の学術論文を書くのはだいたい慈恵大の人が多い。「だからみんなが尊敬してるんだ。東大じゃねえ」というから、私も言い返して「東大にもね、少しは自慢がありますよ」。

戦後、福岡に大陸から朝鮮半島を通って引き揚げてきた日本人がいましたが、女性はみんな強姦されていた。被害者が秘かに堕胎するのを全部引き受けたのは、福岡帝国大学（現九州大学）ですが、東大の学生もたくさん応援に行っていたのです。

大衆消費社会が成立

日下　江戸時代は各地の文化や風俗が人気を呼んで、日本中に流行しました。三越の前身である呉服店・越後屋が誕生したのも一六七三年でした。越後屋は画期的な商法を次々と打ちだし「店前現銀売り《たなさきげんきんうり》」「小裂何程にても売ります（切り売り）」で名をはせました。

何が画期的であったかといえば、それまでの呉服屋は大名が主たる販売先だったのを、町人向けに変えたことです。それが定価制と現金販売と端切れ売りで、これはヨーロッパより約百五十年ほど早い。

また、越後屋のマーク入りの傘を用意して、俄《にわ》か雨のときは無料の貸し出しをした。傘を返却に来た人はまた買ってくれたらしい。これなどトイレを無料開放する現代のコンビニの販売戦略にも通じる話です。

特に文化・文政年間（一八〇四～一八二九年）に町人の文化、大衆消費文化が花開きました。「化政文化」と呼ばれますが、十七世紀の「元禄文化」と並び、江戸時代を代表する文化です。

お伊勢参りをはじめとして、日本全国に旅ブームが訪れました。町人はもちろん、農民も農閑期になるとお伊勢参りや湯治といって各地の温泉を訪ねています。人が来れば名産品も生まれます。自分たちの宿場町に人を呼び込もうと、こぞってその宿場の名物が編み出されました。

江戸後期の滑稽本《こっけいぼん》作家・十返舎一九《じっぺんしゃいっく》の名作『東海道中膝栗毛《ひざくりげ》』を読むと、弥次さん喜多さんが、伊勢名物の赤福や小田原のういろう、桑名の焼きハマグリ、米原のウナギの蒲焼きなど、各地の名産品に舌鼓を打つ場面が登場し、その活況がわかります。

化政文化は、『東海道中膝栗毛』のような滑稽な作り話が数多く生まれ、政治や社会を風刺する川柳も流行します。

版画も技術が向上し、多彩な色彩を表現できるようになり錦絵が生まれた。有名な北斎《ほくさい》の「富嶽《ふがく》三十六景」や喜多川歌麿《きたがわうたまろ》の美人画などの浮世絵が花開いたのもこの時代です。

明治は銀座にあった天狗堂の天狗タバコ、花王石鹸、仁丹・征露丸など大衆消費商品やサービスが日本中でブームになりました。大正・昭和には、カルピスやわかもとや大学目薬、岡山の学生服と次々に全国ブランドの商品が生まれましたが、こうしたブームが起きたのは江戸時代に大衆消費社会を成立させる社会基盤が存在していたからです。

日本人はそれが普通だと思っていますが、世界標準はそうではないのです。

あくまで階級消費社会であり、高級品は貴族向け、庶民向けの商品は地産地消が基本なので全国ブランドはありませんでした。

それだけ江戸の庶民は趣味と教養に時間とお金を使ったのです。

渡邉　イギリスの初代駐日全権大使だったラザフォード・オールコックは「ヨーロッパにはこんなに幸福で暮らし向きのよい農民はいない」と述べてますね（『大君の都』）。この人は日本の支配層には辛辣《しんらつ》な意見を多く残してますが、それにもかかわらず日本の庶民に対しては絶賛を惜しみません。

「日本人は、支配者によって誤らされ、敵意をもつようにそそのかされないときには、まことに親切な国民である」「日本人はおそらく世界中でもっとも器用な大工であり、指物師であり、桶屋である。かれらの桶・風呂・籠はすべて完全な細工の見本である」（同前）。

また面白いのは日本人が自分の飼い犬が死んだことに同情してくれたという指摘です。

「私の別当のかしらは、犬が死んだことを聞くとすぐにかけつけて、かご製の経かたびらに犬をつつみ、とむらいをした。私は宿所の経営者に木陰の美しい庭に犬を埋葬する許可をもとめた。するとかれは、すぐにみずからやってきて、墓を掘る手伝いをしてくれた。あらゆる階級の一団の助手たちがあたかもかれらじしんの同族の者が死んだかのように、悲しそうな顔付きでまわりに集まってきた」（同前）。

現代日本は空前のペットブームですが、江戸時代の人々も同じ心性を持っていたのでしょうね。

レベルが高かった江戸時代の学問

渡邉　江戸時代、庶民の教育は寺子屋で行われていたことは、よく知られています。長い平和が続いたお陰で、全国津々浦々、教育が盛んになりました。太平の世となって失業した武士は寺子屋の先生になって子供たちに「読み書きソロバン」を教え、糊口《ここう》をしのぎました。

授業料は決まっていません。余裕がある家は多く払い、貧しい家は少ない月謝でよかったのです。地方では、酒、蕎麦《そば》、うどん、野菜、魚などを授業の謝礼として持っていったことも多かったようです。

寺子屋の様子を描いた絵を見てわかるのは、子供たちがそれぞれ違うことをしているということです。生徒はおよそ一〇人くらいでしょうか、一人の先生がある子供には仮名を教え、別の子には手紙の書き方を教えるといった具合の個別授業でした。それぞれの習得状態に応じて教えるのですから、覚えの早い子はどんどん先に進み、それに引っ張られて、やや鈍い子も頑張るといった案配で、全体のレベルはかなり高かったようです。

寺子屋のお陰もあって、江戸時代の日本人の識字率は、世界最高水準でした。

日下　高等数学は高貴な趣味にもなっていて、前述の吉田光由《よしだみつよし》が書いた『塵劫記』などには「三角錐の形になるよう、何段で積んだ俵は合計いくつあるか」といった難しい問題の計算法など紹介されています。

九九といえば掛け算のことですが、江戸時代には割り算の九九もあって、子供たちに暗唱されていました。「2÷2＝1」のことを「二進《しん》の一十《いちじゅう》」と言ったそうです。「二進《にっち》も三進《さっち》もいかない」という言葉がありますが、これは割り算の九九で「二でも三でも割り切れない」ということからきているそうです。

『塵劫記』はベストセラーとなって版を重ねるごとに、読者への挑戦として、解答を示さない問題を巻末につけるようになり、問題を解いた読者が今度は新しい問題を出すようになって『塵劫記』がますます高度に充実していきます。これを「遺題継承」というのだそうですが、これがまた江戸時代の数学を進化させていき、世界に誇る「和算」が生まれます。

和算家・関孝和《せきたかかず》は算聖と呼ばれ、世界でいち早く行列式の概念を示した人物として有名です。

寺子屋に見るように勉学の裾野が広く、そこから高等な学問に挑戦する土壌が生まれました。学問へのエネルギーの総量はそうとう高かったことがわかると思います。

商人道を説いた上方の石門心学

日下　江戸時代には武士道ならぬ「商人道」が説かれました。

武士道は有名ですが、それが当てはまるのは、江戸や各藩の城下町のことであって、江戸時代、人口でいえば武士よりも庶民のほうがはるかに多かったわけですから、庶民は何を心の寄りどころにしていたかを見ていかないと、江戸時代から現代まで続く日本人というものがわからないのではないでしょうか。

庶民に深く浸透していたもの、それは石門《せきもん》心学でした。

石門心学というのは、江戸時代中期に石田梅岩《ばいがん》（一六八五〜一七四四）が開いた、いわば実践道徳です。

丹波（今の京都府北部）に生まれた梅岩は幼い身で京の商家に奉公に出、苦労を重ねながら神学と儒学を学びます。一七二九年、京で心学道話の講亭を開き、生涯この私塾を続けます。『都鄙《とひ》問答』『斉家論』などの著作が遺されています。

それは、庶民に向けて正直の徳を説き、私心を無くして自分を取り巻く社会全体に微力ながらも貢献しなさい、という教えでした。商業の意味と大切さをわかりやすい言葉で説いたので、京や大坂の商人たちの心の支えとなりました。武士に武士道があるように、商人には商人道というものがある、と諭したのです。

石門心学の塾は隆盛を極め、日本中に自然発生的に何百も誕生したとされています。

私は上方《かみがた》の文化や心のありようを理解するには、石門心学を知ることが大いに助けになってくれると考えています。

江戸時代に石門心学が燎原《りょうげん》の火のごとく日本中で流行ったのは、日本人みんなが「武士ではない自分たちはどう生きるべきか」ということに興味があったからでしょう。梅岩の教えを読むと、私は教育勅語との類似性に驚いてしまいます。ぴたりと重なるのです。教育勅語は「日本人にとって何が大切か」ということを明治天皇が国民に優しく語りかける形で示したものです。その中身は石門心学でした。

突然に発表された教育勅語に国民が面食らうことがなかったのは、慣れ親しんだ石門心学のコピーだったからです。教育勅語は明治になってからにわかに作られたものではなく、江戸時代から庶民や商人が実践してきた徳目なのですね。

侍はいざ知らず、上方の庶民にとっては当たり前のことでした。日本人がごく自然に会得してきた価値観や美意識が教育勅語に反映されているのですから、反発のしようがなかった、ということではないでしょうか。

江戸の武士に武士道＝儒教があるなら、大坂の商人には商人道――石門心学があるということです。「いんちきをして儲けてはいけない」「天地神明に誓って立派な行動をして歩んでいけば、利は自然とついてくる」「勤勉と貯蓄に勝るものはない」「財力に合った暮らしをしなさい」といった教えは上方から広く日本中に浸透していきました。このあたりが日本人のバックボーンになっているのでは、と思うのです。

世界でも有数な「女性上位」国

日下　「男性より女性のほうが元気がいい」と言われるようになって久しいですが、封建的と思われている江戸社会は実はたいへん自由な社会で、女性が元気に働いている時代でした。

「江戸しぐさ」の越川禮子さんによれば、江戸は参勤交代や出稼ぎの男性が多く、女性が少なかったことから、女性上位の社会だったといいます。お店を切り盛りするのは女将さんで、結婚も見合いより恋愛が主流だったそうだから、女性が元気なのは今に始まったことではありません。現代の女性のなかで特に元気なのは女子高生と中高年の「おばちゃん」です。

渡邉　渡辺惣樹さんが翻訳されたマックファーレンの『日本1852』（草思社文庫）によると、彼は日本の女性の地位が高いことに驚きの声を上げています。

「日本の女性の地位は他のアジア諸国の中でも飛び抜けて高い（far higher and better）。江戸に住む女性はコンスタンチノープルのトルコ女性の百倍もの自由があり、計り知れないほど大事にされている」、と。

江戸の日本人に学ぶ縦の人間関係

日下　江戸の日本人に学ぶべきは縦の人間関係です。最近の日本社会をみていると、意識的、あるいは無意識的にか「縦の人間関係」を作ろうという動きが出てきています。伝統製品のよさがわかると、その技術を先輩に学ぶ動きが出てきますね。大学の農学部へ行って先進的な農業を学んだほうがいいというのはそうですが、それに加えて、おじいちゃんの言うとおりやったほうが儲かることもわかってきました。

農家が丹精込めたお米をお客が高く買う時代になってきたのです。つまりアメリカ式の「量」から日本式の「質」への転換を意味しているのです。

そしてその質を高めるには、縦の人間関係が重要なのです。

トヨタのレクサスの高度な技術も一朝一夕に生まれたわけではなく、長い間もの作りの現場で先輩から後輩への技術の伝承があって達成されたものです。しかしこの縦の人間関係をお金で考えようとすると、うまくいかなくなります。お金儲けだけが目的になると、手っ取り早く儲かることばかりするようになりますから。日本の会社でもその風潮に染まったところでは、現場が崩壊しています。

日本を代表するもの作り企業で不祥事やリコール事件が相次いでいるのがその証左でしょう。

私の世代は、悪いことしたら恥ずかしいと思うのが第一で、だから悪いことはしないし、もし周囲に悪いことをしている人がいたらとめる。かつては先輩が後輩に「それはやめておけ」と忠告したものですが、アメリカ流の個人主義によって、そうした関係が日本からなくなっているのです。

世界史のなかの江戸時代の価値

日下　江戸時代は草創期、成熟期、脱皮期の三期に分けて考えることができます。

いずれの期においても日本は極端に走ることなく、草創期には国作りを行い、一段落後は文化を発展させ、外圧を受けたときは必要な改革を素早く、かつ穏やかに進めました。

そのようにして二百五十年間の長きにわたって内には太平の世を実現し、外には四海波静かの平和を享受しました。これは同時代のヨーロッパ諸国が革命や戦争に明け暮れてようやく中世から近代への移行を果たしたのとは大きな相違です。

この日欧の相違は極めて重要な特徴を示すものですが、持論を述べると、日本の国内統一戦争がはるか二千年の昔に行われ、その後、戦国時代はあっても国家分裂の揺り戻しはなかったことが大きいと思います。

天皇制の継続がそれを証明している。その結果、日本列島に住む人々は天皇以外をトップに置いた国家統一の経験がないのです。つまり日本人には二千年間続いた一体感があるわけです。その結果なのか、はたまたそうなった原因なのかは不明ですが、ともあれわれわれは同じ言語を二千年間にわたって使い続けている。

文書以前の時代から考えれば、日本語にはおそらく一万年の歴史があるでしょう。そのため、日本語には意味が深い単語や言い回しがたくさんある。ときにはまるで逆の意味に使われることもある。それでも通じるというのが重要です。

場合によっては相手によって使い分けているのですが、今はどんな場合かを感得する力が日本人全部に備わっているのです。

日本人は中国、インド、欧米の言語や思想を消化吸収したうえで、なおかつ「やまとことば」の根幹を維持しています。その結果、日本語を使えば、論理を超えた論理を言えるし、またわかってもらえます。

日本語による精神活動の高さや精神生活の深さは他の言語には転位できないものがあって、これは日本人には見えにくいことなので「四面海もてかこまれし　わが敷島の秋津州」といった地理的条件だけが長く続いた太平を説明する理由に使われてきました。

渡邉　日本は、文化、民族、言語、宗教をほぼ共有する数少ない国なのですね。

宗教に関しては、一つではないが、価値観の根底に八百万《やおよろず》の神を誇る神道を持ち、他の宗教も一つの神として文化的に融和させてしまっている。

クリスマスを祝い、年末には寺に鐘を突きに出かけ、年始には初詣《はつもうで》で神を祭る。多神教的な自由思想に、神仏習合が交わり、他の一神教も神として認める風土、これは他の国にないものだと思います。

日本で売られている一般的な世界地図、これは世界的には政治地図と呼ばれるもので、ほかにも自然地図や民族地図、宗教地図などがあるわけですが、日本では政治地図以外を見たことがない。

国＝国家であり、それを海という自然が定めている。アフリカなどがその典型ですが、直線の国境線を持つ国まであるわけです。そして、その国境という概念もパワーゲームの結果であり、中央ヨーロッパのウクライナやハンガリーまでトルコであった時代まであるのですね。

「天下泰平」を生んだ日本人の精神

日下　「天下泰平」に大きな価値を置く日本人の精神はどこから生じたのでしょうか。これは欧米人が武力の行使による領土の拡張や、不平等な交易による物質的富の獲得や、支配による搾取と分業の強制に大きな価値を置く精神を、いまだに捨てきれないことに対比してです。

もちろん、日本にもそうした経験はありますが、それを乗り越えて日本は永続性がある自他の関係はどんなものかを発見し、実行した経験があります。

誰でも知っていることですが、江戸時代に先行した時代は戦国時代です。約百年間、日本にも武力を行使し血で血を洗う下剋上《げこくじょう》の時代がありました。

戦国時代に行われた武力行使と謀略工作のすさまじさは欧米や中国に勝るとも劣りませ

んでした。その方面においても日本は国際水準に到達した実績があります。

となれば、戦国時代が一段落した後は平和第一の江戸時代になった——というのはわかりやすい説明ですが、欧米その他大陸との比較においていえば、日本人は戦国時代の騒乱のなかにあっても「平和な社会」の姿を忘れていなかったという特徴もあるのではないか。

それは、戦国時代に先行して平安時代という世界でもほかに類をみないほど徹底した長期平和時代があったからで、戦国武将たちは平安時代の思い出という舞台の上でお互いに武器をふるって戦っていたのではないか。

目標は平和で、戦争がその手段でした。そして平和は皆殺しや弾圧ではなく強制によるものを理想としました。このへんは狩猟民族や騎馬民族が平和の時代にも殺戮《さつりく》や略奪を完全否定することはないのと相違しています。

世界の国々や民族はいまだに皆殺しや奴隷化を含む支配によって、自らの幸福と繁栄を実現しようとしていますが、日本人は「自分が働く」ことによって生活の向上と精神の安定を得ようとしています。またそれに成功していますが、日本人にはその自覚がありません。

これが日本人の最大特徴であると、私に教えてくれたのは実は中国人です。

彼は「自分で働くのを自慢するのが日本人、他人を働かせるのを自慢するのが漢民族」と教えてくれました。これは目からウロコが落ちるような指摘で、その後長く日本と世界各国を比較するときのメガネに愛用させてもらっています。

エール大学の教授に、こう聞かれたことがあります。

「日本人はなぜ勤勉なのか。日本人にそう聞くと、いつも農耕民族と儒教の影響だと答えるが、それでよいか」

私はこう答えました。

「あなたが不思議に思っているのは、権力による支配や賃金による刺激によらない、自発的な勤勉性の存在でしょう。まず普遍的な理由としては、

①働けば報われる制度・社会であること。

②成功者が前例として眼前にあること。

③成功したとき掌中に得られる魅力的な文化が先行して存在すること。

次に個別具体的な理由としては、

④成功は自らの努力によって得られると説く教えが存在すること。

⑤略奪は悪だと考えていること。

ヨーロッパではカルビン、アメリカではベンジャミン・フランクリン、日本では石門心学や二宮尊徳《にのみやそんとく》がある。しかし儒教は勤勉を説いていない。それから日本でも賃金による刺激は存在する。目立たないように退職金や老後の処遇で支払われる。したがって、日本人だけが特別に勤勉とは言えない。条件次第である——」と。

渡邉　二宮尊徳の報徳仕法（至誠・勤労・分度・推譲）ですかね。

至誠＝まごころを尽くすこと。

勤労＝社会に役立つ成果を考えながら働くこと。

分度＝自分の状況に見合った暮らしをすること。

推譲＝勤労・分度で生まれた余裕を子孫や社会に譲ること。

まぁ、一種の社会哲学ともいえますが、性善説が主導する社会でないと成り立たない教えですね。海賊と呼ばれた男のモデルの出光《いでみつ》の創業者・出光佐三《さぞう》氏の著作に『マルクスが日本に生まれていたら』という本がありますが、マルクスが日本に生まれていたら、マルクスとして名を成していなかったでしょうね。当たり前だから。

世界はいまだに「戦国時代」レベル

日下　面白いですね、有難うございます。日本文明を「シナ文明から分かれた」と評したのはトインビーですが、ハンチントンほかの世界文明学者によれば大勢は日本文明の独自性と独立性を認める方向に進んでいます。しかし本来は日本人自身が発信すべき問題なのに日本人は発言しません。

ですが、私はここに日本人の揺るぎない自信をみます。日本について心配しないから、日本研究をしないのです。欧米人が書く世界文明論の中心テーマは、西欧文明の永続性の問題で、それを確かめるために他文明のことまで研究しているのです。

どうして西欧人が自分の未来に自信が持てないのかを考えると、それは「略奪主義」には自立性がないからということがわかります。

つまり常に略奪の対象が必要で、お互いにそうでは世界平和は実現しません。早く言えば「戦国時代がまだ続いている」のです。戦国武将が忙しかったように、世界各国の指導者は多忙な毎日を送っているわけです。

その仕事は①統一国家としての内部を固めること、②外国からの侵略に備えること、③あわよくば外国から略奪して国民に分配し、それを政権の安定につなげること、です。この仕事の煩わしさと、コストを克服する根本の答えは、「自分が働くこと」です。

すべての国がそうすれば、国家主権の相互尊重が実現する。すべての民族がそうすれば、民族自決になる。地方文化の華が咲く。すべての個人がその気になれば、支配は不要になり、中央政府の仕事は国家の統一を確認する儀式だけになります。世界もそれがわかり始めてきたのでしょう。

そう考えると、日本では天皇をいただく幕藩体制と石門心学および上方文化と江戸文化があったとわかります。世界に対して二つだけ提案するとすれば「自分で働く」精神と、「感謝して学ぶ」精神の徹底と普及です。

渡邉　「石門心学」の「心学」というのは神を前提とした社会に「神学」があるように、日本社会には「本心の学」すなわち「心学」があるとの前提から追求された哲学です。商人はその「本心」に対し「正直」でなければならず、「倹約」を旨に、消費者に奉仕するよう心掛けることを説きます。

また、二宮尊徳は道徳なき経済は犯罪であるといいました。梅岩や尊徳の教えこそ今のグローバル企業の経営者に見習ってもらいたいことですね。

日下　同感です。

第四章

日本人への遺言、世界は日本を見習うようになる

美意識が高い日本人

渡邉　日下先生は、世界は日本を見習え、そのほうが得するし幸福になれるぞ、ということを一貫して書かれていらっしゃいますが、本章では海外と比較しながら日本および日本人の強みや可能性、あるいは弱点や課題を議論できたらと思います。

日下　まず日本の強みとして日本人は「美意識」が非常に高い国民性であると思います。

美意識というのは何も芸術家に限らず、本来技術者にも政治家にも必要なものです。この美意識は日本で生まれつくと自然に身についています。きちんと掃除をする、ご飯のまえにはお百姓さんに感謝する、近所の人に会ったらちゃんと挨拶《あいさつ》をする。そしてこのような日本人の美意識は確実に海外にも広がっています。

これは以前ホンダの副社長から聞いた話ですが、ホンダのオハイオ州の工場ではホーキとチリ取りがあり、従業員に聞くと「日本人は小学校のときから清潔・整頓を教えられ、自分で教室の掃除をするから立派な自動車が作れるのだ」と教えられたので自分たちもそれをしていますと言ったといいます。

掃除は部屋がきれいにするだけでなく、自分の心まできれいにする、それが日本人の美意識です。

これがあるから、日本人は高品質のものを生み出す力を持つ。芸術産業国といえるでしょう。日本が実現した美は昔も今も世界の人々の羨望《せんぼう》の的となっています。ファッション、グルメはもちろん、自動車・テレビ・新幹線から道路・公園の公共事業にいたるまで日本のセンスと技術は世界に広がっている。

東京・大田区や東大阪市に限らず、中小企業のなかには、その分野で世界的なシェアを誇るメーカーがいくつもある。腕に自信のある職人たちが、長年の経験から一ミリの何千分の一という精度でもって、もはや美術品としか言いようがない部品を作っている。それができるのも日本人の美意識が隅々まで行き渡っているからです。

渡邉　韓国に輸出規制を強化した三品目にしても、日本のメーカーが何十年も試行錯誤して磨き上げたもので、いくら国を挙げたところで数年で韓国企業に作れるわけがありません。万が一できたところで、コストが合わない。それをわかっているからサムスンも内製化しなかった。日本企業は納期、価格、品質のすべてがともなっています。

日下　トヨタの車が優秀なのも、結局部品メーカーの技術が高いからですね。

実際に部品を作っている下請け企業は、超有名でも世界的企業でもありませんが、優れた技術を持っています。UCLA（カリフォルニア大学ロサンゼルス校）の教授だったロナルド・モースさんは、「日本は技術の国である。トヨタのレクサスは工業製品ではなく芸術品である」と語っていましたが、むべなるかなです。レクサスは環境に優しいだけでなく「静かで美しい」からです。

インドといえばスズキの軽自動車が有名ですが、ニューデリーにあるスズキの工場を見学した際に、案内してくれた人が言うには「スズキという新しいカーストができた」とインド人が言っているといいます。

カーストというのは職業を世襲によって割り当てるという側面があるから、スズキも国鉄一家のようなものになりつつあるということでしょう。

トヨタもスズキも最初から世界市場を狙《ねら》っていたわけではなく、日本市場で通用する車を作っていたら、いつしか世界標準になっていたということだと思います。

これまで高級品＝ブランド品はイタリアやフランスなどヨーロッパが原産地でしたが、それも日本製に変わるだろう。

渡邉　ですから日本企業の経営者は、今後はもう安売りをやめればいいのです。

輸出規制の三品目の韓国への年間輸出額は一五四億円相当です。それが止まると韓国で作れなくなるものが約二〇兆円分の製品。二〇兆円の製品が作れなくなると六〇兆円稼ぐ会社が潰れるんです。

つまり、日本企業は一五四億円で売る必要はないということです。日本しか作れないので、一五〇〇億円に値上げしたとしても、必要なところは買うわけです。

売った日本企業は原価が一緒ですから、利益が一気に上がる。会社が儲かり、給料がアップする。それなのに、日本企業同士が値段を叩きあって、良いものをどうやって安く売れるかという方向に企業努力をしてしまう。

日下　その結果デフレになる。

渡邉　だから良いものを高く売るという商売の原則に日本企業はもう一度立ち戻る必要があります。他が作れなかったらいくらでも売れるじゃないか、というユダヤ商法を日本もやるべきです。

日下　まず贅沢を覚えさせてから値上げをする。それこそ新しい所得倍増計画です。

「中流意識」という美徳

日下　次に日本人の「中流意識」です。これは三つあります。まず第一は、自助努力の精神です。自分のことは自分でする、他人からサービスを受けず、人に無用なサービスもしないことです。

第二に、先憂後楽《せんゆうこうらく》の精神。油断せずいつも努力しようという人生態度。

第三に禁欲主義。多くを求めず、質素を最高の徳とする。

こうしてみると、日本人の中流精神は、ちょうど資本主義勃興期のプロテスタント精神に似てなくもない。

以前、四谷に日経新聞をいつも読んでいる浮浪者がいて、ある人が面白がってＯＤＡについて議論を吹っかけてみると「なるほど開発途上国に対するＯＤＡ増額は仕方がないが、気をつけるべき点が三つある。一つは先方の国内問題で、二つは日本の各省庁の利権増大……」とそれは立派な意見を述べたそうです。

その答えの見事さに感心して、なんで乞食をと尋ねたら「私は乞食ではない浮浪者《バガボンド》だ」

と答える。乞食は人に施しを求めるが、私はただ働かない＝浮浪者だと言います。日本は拾っても食えるからそうしているだけで、他人に迷惑はかけていない、と。

ウソみたいな本当の話ですが、この浮浪者こそ、中流精神の発露です。いや、むしろ貴族精神に近いかもしれません（笑）。

渡邉　乞食は生業《なりわい》ともいわれますね。自らが生き抜くために乞食を生業にする。乞食をしなくても生きてゆける社会というのが日本であり、良くも悪くも現代のひずんだ豊かさの象徴かもしれませんね。そして、それが寛容な社会でもある。

以前お付き合いがあった取引先の社長の言葉を思い出しました。棚卸しで遅くなり、そのまま会社に泊まったところ、まだ薄暗いなかで繰り返し聞こえる大きな音で目を覚ましたとのこと、窓の外を見たら、前の公園で浮浪者の人が一生懸命空き缶を潰していたそうです。

その社長が私に、うちの社員より朝早くからよく働くと……。まぁ、その会社、社員が長続きしないブラック企業でしたが……。

日本人の「臨機応変力」

日下　面白いですね。国鉄の職員の人と話したことがあります。今もそうですが、そのころはよく列車に遅れが出ました。通勤途中だったかと記憶しています。私もいらいらしていたのかもしれません。「どこで故障が生じたのですか」と聞きましたら、「おそらく八王子の○○番ポイントの凍結でしょう」とたちどころに明確な答えが返ってきて、驚きました。

「どうしてそんなことがわかるのですか」という私の問いに、職員は「あそこは冬の風が当たるのです。現場に出ていますからこんな日は八王子のあそこが危ないとピンとくるのです。現場からの報告を待ってから対応すると遅くなってしまいます。あそこがやられたのでは？　とこちらから連絡をつけて対応していくことが肝心なのです」と答えてくれました。

私鉄でもこんな話を聞いたことがあります。アルバイトをしている学生からです。

「飛び込み自殺が多いところでは、あらかじめバケツと火ばさみが準備してあってさっさと手足を拾って集めます。三十分もかかることはありません。事故処理で一番時間がかかるのは警察関係ですが、日ごろから挨拶を欠かさず、人間関係をつないでおけば二十分以下ですませてくれます。その点、ＪＲさんは下手です」と、いうことでした。

これこそが「現場の力」ではないでしょうか。

事故処理に関してはおそらくマニュアルがあるはずです。しかしマニュアルブックを押し付けられると現場力は通常落ちます。現場が工夫して、判断して、臨機応変に対応ができるかどうか。この学生さんの場合で言うと、日ごろから警察関係とつないでいたことが大きかった。ちょっとでもいいから通りがかりに挨拶する、道ですれ違ったら会釈する、といった「つなぎ方」がいざということに役立ってくれるのですね。

こういう「臨機応変力」とでも言うパワーは日本人が生来身につけているものだと思われます。アメリカ人などはそれがないからマニュアルブックを個々人に持たせるしか対処の方法がないのです。

渡邉　現場主義ですね。ただし、戦後のたたき上げの人が少なくなり、今の企業はマニュアル化しています。また、バブル崩壊以降の大企業病が日本企業の足を引っ張っている側面もあるのだと思います。

今の日本企業の問題は、戦後のオーナー社長や創業社長がいなくなり、サラリーマン社長ばかりで決定が遅いことです。リスクと責任を取らない方法ばかりを考え、それが日本企業の決定の遅さとして、企業の発展を阻害している。そして、日本企業が持つチーム力を生かしきれない原因になっていると思います。

外国企業と取引していていつも思うのは、彼らのチャレンジ精神と決定の速さです。特に台湾企業はハンドリングが早い。米中貿易戦争が勃発したとたん、空き地と稼働していない工場外であった台中にある豊原の工業団地にすぐに企業が戻り始め、一年ちょっとで中国への輸出額のマイナスを国内からの直接輸出の増加で埋めてしまった。日本企業はいまだに中国にこだわり、中国への投資を続けている企業まである始末です。

良くも悪くも、七十年間の偽りの平和が平和ボケを生み出し、結果、リスクマネジメントができなくなっている側面がある。この部分は反省し、変えてゆかないといけないと思います。

日本は社会主義国よりも「計画経済」を真面目に行っていた

日下　以前、ソ連崩壊後の経済関係者に会うと「計画経済は失敗だった！」といわれたものですが、そんなとき私は「計画経済もしっかり実行しなかったことを反省しなさい」と返していました。

実は日本は、会社のなかは計画経済そのもので、ノルマを背負っていない社員などほとんどいない。コンピューターが導入され、データはリアルタイムで管理され共有できる。国家も規制や指導だらけで旧ソ連とは程度の差しかありませんでした。

ソ連の問題は計画経済にあったのではなく、それは看板だけで会社のなかは自由放任経済が巣食っていた。資材はかっぱらう、賄賂は当たり前、どこもコネだらけ、権力だらけ。品物を作っても運送手段がないから目的地へ運べない、余計に作って余れば平気で捨てるし、足りなければ何時間も行列して待っている。

つまり「経済」を実行していなかったのです。

日本の製品が世界で受け入れられるのは、民衆のための品物が中心だからで、だから底力があるのです。中国のような独裁国家は美術品のような「王様のための文化」は世界最高水準のものができるが、民生品のような「民衆のための文化」は育たない。

また、テクノロジーは一般に軍用から民用になるものですが、これからの時代は、反対に民用から軍事に転用される技術が出てきます。そうした技術が多く出てくれば出てくるほど、二十一世紀の情報戦は日本が優位に進んでいきます。

政治家は「三流」、政府は「小さい」でいい

日下　よく日本の政治家は三流と批判されますが、「政治家が三流でよかった」面もあるのです。

政治家が「一流」の時代だったり統治者が「超一流」の社会は、たいがい国民が苦労して不幸な目に遭うからです。

中国の「鼓腹撃壌《こふくげきじょう》」の故事にあるように、政治家はまるで空気のように無視されているくらいのほうがいい。

それから、日本政治は三流だと世界から言われる場合は、政治家だけでなく日本国民の

政治姿勢に対しても言われていることを理解しておく必要があるでしょう。それに、三流政治家が一流政治を行うこともある、というのも真実でしょう。

ところで、大野伴睦《おおのばんぼく》は「サルは木から落ちてもサルだが、政治家は選挙に落ちればただの人だ」と言いましたが、選挙に落ちるとたちまち議員会館を出て、市井の人に戻るのが当然という国は、世界広しといえども意外に少なくて、アメリカ、カナダ、オーストラリア、ヨーロッパくらいのものです。

同様に、日本国民がもっと幸福になるためには政府はなるべく小さいほうがいいに決まっています。役人の数も少ないほうがいい。だからまず、行政改革は国会議員の数を減らすことから始めるべきです。

渡邉　うーん、国会議員の数ですか、逆に私は増やせばよいと思っています。母数がないと優秀な政治家が生まれてこない。国会には一七の委員会があり、それぞれに専門分野に分かれています。個別の分野で振り分けると逆に少ないぐらいです。

たとえば参議院の外交防衛委員会、外交と防衛を担当している委員会で二一人しかいない。二一人が少数精鋭というのであればよいのですが、議員というのは選挙で選ばれた人でしかなく、専門家は少ないわけです。

また、委員会の掛け持ち議員も多く、民意の反映ができない状態になっています。そして、減らせば減らすほど、特定の組織や団体などの支援を受けた議員が有利になり、一人当たりの権力が増大してゆくのです。

私は逆に国会議員の数を一気に増やして、地方を集約し都道府県と市町村の二重行政を廃止し、地方議員を減らせばよいと考えます。地方が独自に決めること、地方独自の事業、実はあまりないのです。

また、戦後の歪《ひず》みの一つですが、地方の首長に権力が集中してしまっている。もともと知事は国からの任官職であり、選挙で選ばれる存在ではなかった。だからこそ、国と地方が一体になった行政が可能だったわけです。

政府を小さくするのも、いろいろな方法があり、地方政府を小さくして国に一本化するほうが乱世の世をうまく乗り切れるのだと思います。

「昭和六年体制」に呪縛された役人たち

日下　日本の行政の問題は、まだまだ統制経済のうまみをエンジョイしていないらしく、様々な規制をあえてそのまま残しているように思います。そうはいっても経済はそれ自体のボリュームとスピードで動き回るので、行政の思惑どおりにはいきません。古い時代の経済の急激な進展についていけない、ということです。

第二次産業革命と呼ばれる「ソフト化とサービス化」の波は奔流のごとく国民生活を一変させたのですが、それはアメリカ化でもありました。もう一度揺りもどしがくるでしょう。

日本の役人は戦争中の統制経済の後遺症をひきずったままというより、それが撤廃されると仕事がなくなるので、しがみついているのですが――動脈硬化を起こしていることに気づいていません。

典型例の一つが食糧管理法（食管法）です。コメ、ムギのみを国民の主要食糧と考えて政府が余すところなく生産農家から買い上げたうえで配給するための法律ですが、これは昭和十六年に制定され、十七年二月二十二日に施行されたものです。

昭和六年の満州事変で国内経済は雪崩を打って戦時体制に突入。そのころ欧米は大恐慌から抜け出せずにいて不況のなかで苦しんでいましたが、ソ連だけは計画経済が成功し、一頭地を抜きんでていた。陸軍が注目して、まずは新天地・満州で実験してみたのがこの計画経済で、やがて本土にも波及します。昭和十二年には、いわゆる統制三法（臨時資金調整法、輸出入品等臨時措置法、軍需工業動員法）が制定され、翌十三年には国家総動員法ができています。

私は国家が国民生活を統制する、生産本位の経済新体制は満州事変がきっかけとなって矢継ぎ早に整っていったので、「昭和六年体制」と言いたいのですが、消費主体ではなくて生産主体で民間主体ではなくて政府（行政）主体の、この統制経済が実質的には戦後も長く続いてきた。戦争が終わってアメリカが植え付けた新しい経済政策だけでなく、戦前に完成された統制経済が、戦後日本のバックボーンだったといえるのです。

いまだに役所があらゆる分野で口出しするのも、大企業が系列会社や下請け会社に決定的な強権を有するのも、みな「昭和六年体制」の遺物です。医者や薬屋の倒産を防ぐためにあるともいえる健康保険制度も、そうであるかもしれません。

経済の自立的発展を阻害し、行政が国民を愚民視しているのが各種の規制です。「昭和六年体制」は、その後長く続く「日本のかたち」を作ったことになった。

中小企業が元気な国は強い

日下　経済における民主化のバロメーターは、中小企業の数とその体質の強弱です。すなわち自主独立の精神を持った起業家とそれを理解できる者が、どれほど存在するかということが重要です。だから十大財閥でGDPの七割　サムスン一社でGDPの二〇％を占めるという韓国の逆三角形型の経済構造を歪《いびつ》と感じるわけです。中小企業の弱い国は足腰が弱い。それは起業家精神が薄弱で、新製品を生み出す力が弱いため、経済のソフト化ができないことを意味します。

韓国と対照的なのは台湾で、中小企業が多いぶん足腰が強い。

結局、自分で独立して何かを始めようというのが自由の精神で、それを許す国家が自由な国家なのです。そのような国家でなければ中小企業は豊富多彩にならない。

たとえば階級社会の強い国では、商売も階級化する。イギリスがそうです。鉄道会社は貴族がし、両替は一部の庶民がするというように。階級の利益を許さないのが良い民主主義ですが、繁栄がしばらく続くと、それはやがて悪い民主主義に変化して、各階級の利益の固定をやるようになる。社会主義への第一歩です。

渡邉 そうですね。日本の製造業の強みは特別な技術を持つ中小企業がたくさんあることです。日本でしか作れないものの多くはセットアップメーカーである大企業ではなく、中小企業の特殊な技術や部品に支えられている。

問題は中小零細企業にはそれを高く売る能力が低いことです。最近では変わりつつありますが、これまで中小零細は系列に組み込まれた存在でしかなく、その技術を生かし切れてこなかったのです。

また、長いデフレで「どうすれば安く売れるか」と考える経営者が増えてしまっていることも問題です。

日下 賛成。

日本を狙う吸血鬼と片棒を担ぐ日本人

渡邉 日本人の弱みとしてはいかがでしょう?

日下 先ほど「ユダヤ商法」の話がでましたが、ユダヤ人はお金儲けがうまいのが民族的特徴です。その昔、アメリカ人がたくさん稼いで儲かったお金をヨーロッパのユダヤ人に取られてしまったのと同じような状況に、日本も陥ってしまった。

ユダヤ人というのは、その時代の繁栄の中心地を渡り歩いてきた歴史があります。古くはトルコのイスタンブール、オーストリアのウィーン、オランダのアムステルダム、イギリスのロンドン、アメリカのニューヨークと西へ西へと移動し、ついに日本にやって来たのです。

アメリカのユダヤ人にいつ日本に来るかと聞いたことがあります。「そろそろ日本に行きます。でも、その前に揺さぶってから買いたたきます」といったように、まさに有言実行で舌を巻いたのを覚えています。

実際、私の古巣である旧長銀も「ハゲタカ・ファンド」の元祖的な存在のリップルウッド・ホールディングス（その後ＲＨＪインターナショナルに社名変更し、二〇一三年に日本撤退）に買収されました。

リップルウッドは、二〇〇〇年に約四兆五〇〇〇億円もの公的資金がつぎ込まれた長銀をたった一〇億円で買収しましたが、その長銀は新生銀行へ名前を変え、株式を再上場して無課税で一〇〇〇億円もの利益を上げましたから、濡《ぬ》れ手に泡とはこのことです。

ハゲタカ・ファンドの席巻に日本の大企業は戦々恐々としている一方で、国民のほうは慌てる素振りがありません。彼らの目的がお金であるなら、われわれはお金を持たない、あるいは使わない生活をすればいいだけです。

江戸時代の庶民のように宵越しの銭を持たなければいい。げんに今の日本人はリサイクルやフリーマーケット、NPO活動など、お金をあまり使わない暮らしをするようになっています。ことに若者がそうでしょう。

日銀のマイナス金利で銀行に預金しても利息はつかず、増える見込みもないから自分の家でタンス預金と変わらない。ですからアメリカは日本にこれ以上のダメージを与えられなくなる。

もっとも、問題はハゲタカの片棒を担ぐ日本人にあります。

ハゲタカが日本に目を向けるようになったのは、金融自由化を推し進めた橋本龍太郎政権以降の歴代総理で、なかでも構造改革、規制緩和の旗を振り続けた小泉元首相と竹中平蔵元金融担当大臣の責任は大きい。小泉さんも竹中さんも財務省もまったく責任をとろうとしませんが、責任があるのはこの三者だけではありません。アメリカで経済学を学びそのモデルを崇拝してきた人たちにも問題があります。

彼らは外国の圧力により大蔵省ほかの地位を低下させ日本をよくしたいと思ったのでしょうが、そのコストとして日本はさんざん食い荒らされてしまったのです。

海外にドアを開くにしても限定条件をつけながら徐々に自由化すればよかったのですが、大蔵省潰し、あるいはその弱体化が先行してしまった。もちろんそれを喝采した国民も同罪です。新しい金融行政の理念作りやその実行者の育成を後回しにして、自由化と国際化を急いだのは国家的大損失でした。

思えば、ペリーのときの開国でも、純度の低いメキシコ銀貨をたくさんつかまされて日本経済は大損害を被ったから、金融に弱いのは島国日本の持病なのかもしれません。特に役人と学者がそう。

日本人には倫理観や美学がありますが、何でも理論とお金に換算して考えることしかできないのが、最近のアメリカ人です。そのようなアメリカにかぶれた日本人が跋扈《ばっこ》して、唯々諾々とアメリカの要求に従っているのをみるにつけ、いっそ「鎖国」したほうがいいのではないかと私は半ば本気で思ってます。

渡邉　日本人の最大の敵は日本人ですね。外国人ならば警戒しますが、日本人だと警戒が薄くなる。特に外国の大学などを出た人は日本人の価値観では判断できない側面も強い。

良くも悪くも考え方が外国人になってしまっている人も多いですね。まぁ、逆に日本の良さを見直す人もいますけど……そういう人は総じて商売には向いていないように思います。

先生がおっしゃっているのは「レントシーカー」のことだと思います。民間という立場で政府に働きかけを行い、自らに都合がよい規制を設定したり、規制緩和を行い、公のカネを自らに誘導する。そんな人たちが永田町を跋扈しているのも事実であり、ＣＭなどでメディアに金を配っているのも事実でしょう。ただし、それが今後も長続きするかは別問題なのでしょうね。

うちの祖父がよく「お天道様が見ている」といっていました。倫理に反すること、人の道義に反することを行えば、いつかきっと手痛いしっぺ返しを食らう……まぁ、最近のソフトバンクを見ていても……。

英語などうまくなくていい

日下　私は英語がいっこうにうまくなりませんでしたが、その理由は英語をバカにしていたからです。

英語が伝える世界より深くて大きいものを日本社会は私に教えてくれたと思っています。だから日本語が上手になることのほうが重要です（笑）。

そういう私のことを夜郎自大《やろうじだい》という人がいるかもしれませんが、私からすれば英会話を一生懸命勉強している人は英語コンプレックス、アメリカ・コンプレックスに見える。重要なのは話す中身で、中身がないのに英語が話せてもまったく意味がありません。

そうした点でも、福沢諭吉《ふくざわゆきち》など江戸時代の武士たちが開国にあたってアメリカへ初めて見聞を広めに行ったときの日記や感想文がたいへん参考になります。物事の両面を見ています。

アメリカ国会の討論は魚河岸のセリのようだという半面、「アメリカでは人物の出来具合と地位の高低が一致しています」と見るべきところはきちんと見ている。言葉はわからなくても人物の出来具合はわかるし、それを見抜く力があることも自負しています。ダンスパーティーでの服装に野蛮と呆れながらも、これによって国政に人情を通わせているのだと、その効用も理解している。

幕臣たちの鑑定眼に比べれば、今の日本人のアメリカ見聞報告は子供のレポートです。

誰々に会っただの、一緒に写真を撮ったとか、パンフレットをたくさんもらってきたなど。

残念ながら戦後の日本人は劣化しているというほかはありません。

渡邉　日本は大学院レベルの高等教育まで自国の言語でできる数少ない国ですね。先進国のなかでも専門書レベルまで自国言語で存在する国は少ないのです。

これができるのは、英語、ドイツ語、フランス語、日本語ぐらいではないかと思います。他国の侵略を受けた新興国のほとんどが、高等教育を他国の言語で行っている。公文書がその典型ですが、自国言語があるにもかかわらず、公用語を英語としていたり、フランス語にしているわけです。

また、日本語のベースにある漢字はもともと中国から渡ってきたものですが、それを発展させたのが日本語であり、ベースにある漢字は表意文字であり、文字を見るだけで意味がわかる便利なものです。

さらに、古代中国語である漢文の読み下しに便利なレ点やひらがなが加わり、外国語をそのまま表現できるカタカナまで存在する。カタカナは外国の言葉や固有名詞を表現するのに、最も適している。

私はコミュニケーションツールとしての英語教育を否定はしませんが、それ以前に自国の言語である日本語をきちんと理解し、日本語で正しく思考できる脳内回路を作るべきだと考えます。

今の時代、英語が使える人はいくらでもいます。しかし、英語できちんと論理だてて考えることができる人は少ない。日本語で考えられれば、その先は通訳に任してもよいのです。中途半端に英語を使えても、それはビジネスでは使えない。

「団塊の世代」という軛《くびき》

日下　戦後生まれの日本人には骨の髄までアメリカ・コンプレックスが染みついてしまったようですが、その代表が団塊の世代です。彼らにはアメリカの生活風習が自由主義と民主主義と個人主義という光に包まれていると見えた。

しかし、その根底にある「有色人種蔑視《べっし》」「男尊女卑」「弱肉強食」などの闇は見えなかったのです。そしてこのようなアメリカ礼賛主義者はえてして日本文化の素晴らしいところや風流なところは見ようとしません。戦前の素晴らしい国だった日本を知らないので、簡単にアメリカに洗脳されてしまった。

「コンプライアンス」がもてはやされてますが、これは日本語では「法令順守」でも英語では「従順」のうえに加えて「卑屈」の意味まで加わっています。したがって、組織と組織の間では使われますが、個人が個人に対して使う言葉ではありません。

英語の「アクション」や「イニシアチブ」には人に命令する意味があるから、これを「構造協議」と訳したのは外務省の誤訳です。たぶん日本国民に対して、外務省は対等にやっていると思わせるための意図的誤訳でしょう。

渡邉　意図的な誤訳とミスリードですね。前述の博愛と友愛もそうですが、まったく意味が異なるインターナショナルとグローバルが同じ国際化という言葉で訳されている。様々な統治体の集合体がインターナショナルであり、一つにするのがグローバルで、ある意味、正反対なのですね。

そして、官僚や政治家も英語を使って説明する人が多いのが問題です。訳のわからないカタカナ語を使うのはインチキコンサルの手口と同じですね。そして、ひどい場合だと使っている本人すら理解できていない場合すらある。

二〇一七年の選挙の際、小池知事が「アウフヘーベン（止揚。揚棄。ヘーゲル弁証法の基本概念の一つ。あるものを否定しつつも、より高次の統一の段階で生かし保存すること）」というドイツ語を多用し、批判されましたが、どれだけの有権者がその言葉の意味をわかるんだという話だと思うのです。

「ダイバーシティ（多様性）なマネジメントを行い、エリミネート（首切り）する」なんて言葉を使われても何を言っているのかわからない。

日下　ダイバーシティというなら日本こそで、多種多様な価値観が混在し、混合して、思わぬプラスの相乗効果を生んでいます。そもそも外国からの輸入文明や輸入文化に対して、恐るべき吸収力と応用力があるのです。

アメリカは太平洋戦争に勝利して日本を占領するやいなや直ちに教育改革を断行し、民主・自由・平等・平和といった、かの国に根付いた価値観を大量導入し、加えて、欧米崇拝の教育を徹底的に強制しました。教育現場もそれに無条件に従い、改革は完結された、とされていますが、なかなかどうして、日本人はそんな簡単なものではありません。

日本のよき伝統を継承する教育は、あたかも地下に潜るかのように脈々と継続されてきましたから。

アメリカと張り合った創業経営者たち

日下　戦後日本人のために一言言っておかなくてはならないのは、アメリカに食い尽くされず、逆にアメリカと対等に渡り合い、一時代を築いた人物は白洲次郎《しらすじろう》以外にもたくさんいたことです。

たとえば、日本IBMの社長・会長を務めた椎名武雄《しいなたけお》さんや、日本マクドナルドの創業者・藤田田《ふじたでん》さん、ソニーの創業者・盛田昭夫《もりたあきお》さん、ホンダの本田宗一郎《ほんだそういちろう》さん、アシックスの鬼塚喜八郎《おにつかきはちろう》さんです。

もとはアメリカの会社であったセブン・イレブンは、コンビニの将来性に目をつけた鈴《すず》木敏文《きとしふみ》さん（元セブン&アイ・ホールディングス会長）が、一九七四年に日本で第一号店を出店させ、大成功を収めて、二〇〇五年にはアメリカ法人を子会社にしてしまいました。子会社が親会社を呑みこんだ。

しかし私がいま挙げた人たちはみんな団塊の世代より上の世代です。

情けないのは、団塊の世代にはアメリカを断ち切るという発想がないことです。断ち切るどころか、今のアメリカ社会における主流を見極めて、そこについていこうとしています。

新聞記者や外交官も手っ取り早く点数稼ぎをしようとホワイトハウスにべったりくっつく。アメリカが超大国の地位を維持し続けることしか頭になく、たとえそうだとしてもアメリカ国内の反対勢力と仲良くし政権に揺さぶりをかける外交官がいない。

ＧＨＱに「従順ならざる唯一の日本人」と言われた白洲次郎のような人がいないのです。

日本型経営を取り戻せ

日下　私はワシントンD.C.のウイルソン大統領記念国際学術財団にしばらくいたことがありますが、あるとき、アメリカ人が、日本型経営についてこう質問してきました。

「一生懸命に働いても給料にあまり差がつかないのに全力投球するとは不思議な民族である。なぜ日本人は全力投球するのか？」

「不思議でも何でもない。ちゃんと差がつくのです」と応えると、その人は実際に日本に行って調べてからまたやって来て、「十年目では差がつかない。二十年目でも少ししか差がつかない。それでもみんな全力投球している。それが取締役になるあたりからものすごい差がついてくる。そこまで引きずっていって、ある日、バッサリ切り落とすとは非常に残酷なシステムである」と日本型経営に対して憤慨していました。

そのとおりですが、「日本人は、社長になることだけが目当てとは限らないのです。ボーナスが目的とも限りません。世間体とか、安定とか、結婚相手とか遊び相手とかいろんなものを会社からもらえるのです」と言ったら、彼は「遅れている」「封建的である」「個人主義がない」「合理的でない」など、さんざん否定的な言葉を発して帰って行きました。

近ごろはその日本でも成果主義が根付いてきましたが、名前は同じでも中身は全然違います。一番の違いは、評価する人間が違うことです。

アメリカでは社員の評価は「ボス」がしますが、日本の場合は「仲間」です。アメリカ人が働くのはボスの前だけですが、日本人は陰日向なく働きます。

私はかつて、アメリカ人にこう言ったことがあります。

「あなた方の社会では『ボス』が評価するから、ボスにゴマをすったり、口が曲がるようなことを言ったりしている。しかし、世のなかにはそういうことをするのが苦手な人もいる。口がうまくないとか、仕事一筋とか、だが、そういう人も日本だったら『仲間』の評判でちゃんと浮かび上がってくる。だから安心して働ける。アメリカ人の好きなベースボールにたとえれば、みんながみんなピッチャーをやりたがったら、野球はできない。日本人は外野の守備を命ぜられても喜んで外野に行く。縁の下の力持ち的な仕事も喜んでやる。それは仲間が見てくれているからである。同じ成果主義でも、総合的に評価する能力が日本企業にある」

日本の会社では、仲間がどれだけ働いているかが見えるポストが「一番魅力のあるポスト」になっています。

勤続十年目、二十年目の報酬はそうしたポストであって収入ではありません。企画課長や秘書課長、人事課長がそれに当たります。

彼らは契約を取って来たり、資金を動かしたりすることはないですが、自分の同期の働きを全部見ています。そういうポストに日が当たって、後々、そういう人が社長になる。それは成果の配分を任せるわけでそれが不適切であれば仲間は辞めていき、会社は潰れます。日本に進出する外資系の会社はきっとそうなりますよ。

これは日本の共同体意識に根ざした考え方で、そうした日本型雇用関係の本質を忘れた議論が多いので呆れます。

結論からいえば、アメリカ型成果主義は終わります。アメリカは自滅して日本が生き残ります。日本本来の共同体意識、仲間意識に目を向けた会社と、アメリカ型の市場万能主義・個人主義で客観評価主義の会社との二回戦が始まります。

イデオロギーにこだわる世界、こだわらない日本人

日下　「資本主義か共産主義か」とか、「新自由主義でなければならない」などと世界、ことに欧米はイデオロギーにこだわっています。

中国も一応は「共産主義国」を標榜《ひょうぼう》しています。しかし日本は一部の特殊な人間を除いてイデオロギーにこだわりません。以前は学生がマルクス主義にかぶれた時代もありましたが、今や若者は学生運動に関心を示しません。学生時代でさえそうですから、社会人になればなおのこと無関心になる。もし何らかのイデオロギーを真剣に振り回す人がいるとすれば、変人扱いで見られるのが落ちでしょう。よほど反中の人でもない限り、中華料理は食べる。

日本でも戦時中、国家が「鬼畜英米」を唱えていたときは、表面的には「アカ」や「ハイカラ」という言葉は、売国奴の代名詞でした。アメリカでは今でもイデオロギーが人を測定する重要なモノサシになっています。自由主義、民主主義、国家主義、軍国主義いずれにせよ人は何らかのイデオロギーを持っていなくてはならないし、一度持ったら簡単に取りかえてはいけない。政治家や知識人はたいへん苦労しています。

渡邉　日本でも保守的な正論をいう人に対し、「ネトウヨ」や「ヘイト」、「レイシスト」とレッテルを貼る人の声が大きいですが、確かに一部の界隈《かいわい》の人たちにすぎません。

私はよくそういう人たちを「暴力的な平和主義者」とか、「言論弾圧をする人権派」と呼んでいます。言っていることとやってることが違う連中が多すぎるので。

日下　イデオロギーが問題なのは、いつの時代でもそれを支え裏付ける暴力が存在するからでしょう。あるいは力を持ったグループがそのイデオロギーを支持している。そのため、イデオロギーの強い社会でそれに反対しようとすれば集団リンチを覚悟しなければならない。

しかし実は日本にもイデオロギーはあります。序章でも述べた平和主義、自由主義、民主主義、平等主義、中流主義の五つです。ただし、日本式なので同じ名称でも世界のイデオロギーとは違いますが。

宗教戦争がなかった日本の幸運

日下　イデオロギーと重なる話ですが、ユダヤ・キリスト教やイスラム教のように一神教による宗教戦争がないことも日本は幸運でした。欧米はいまだにイデオロギーの時代ですが、ヨーロッパにはそれ以前に千五百年以上にわたる宗教の時代がありました。宗教の伝統が学問に結合するとイデオロギーになるのです。

一神教を信じる彼らの行動基準は「神の御心に叶うや否や」で、厳しい戒律が信者の生活を縛ります。戒律の厳しさといえばイスラム教ですが、イスラム教徒にとっては職務以上に魂の救済が重要となります。そのため、一日に五度、地球のどこにいても決まった時間にメッカに向けてお祈りをしなければならない。たとえ飛行機のパイロットでも。したがって、正副操縦士の二人ともイスラム教徒にすることはないそうです。

渡邉　日本でも『悪魔の詩《うた》』を出版しようとした筑波大の助教授が惨殺される事件が起きましたね（一九九一年）。

日下　はい。キリスト教にしても、たとえばアメリカ北東部のペンシルヴァニア州の南部に今も残るアーミシュという宗教集団は、十七世紀から十八世紀にかけて南ドイツやスイスで起きた宗教迫害を逃れ、アメリカへ移住したメノー派（再洗礼派に属するプロテスタントの一派。オランダの宗教改革者メノー・シモンズが創始。幼児洗礼・公職就任・兵役などの拒否で知られる）の分派ですが、電気も引かず電話も自動車も使わず、十七世紀当時のままに暮らしています。言葉もドイツなまりの英語で非常に聞きづらい。

ケント・ギルバードさんはモルモン教の信者ですが、戒律から酒もタバコもコーラも飲まない。モルモン教はユタ州が本拠地ですが、ここではアルコールを買うとき証明書が必要です。

渡邉　トランプ大統領の支持母体はユダヤ教とキリスト教福音派（プロテスタントの系譜を引くが、米国では宗教別人口の約四分の一を占め、主流派のプロテスタントを上回る最大勢力）ですが、その福音派の代表格がペンス副大統領であり、中国に対し最強硬派といっていい。

トランプ大統領としては二〇二〇年の大統領選を見すえて、支持層のアイオワ州やオハイオ州に配慮して農産物の中国への輸出を拡大するためにディールしたくても、なかなか進まなかった一因はここにもあります。

日下　熱心な信者でなくても、欧米は宗教絶対の時代を抜け出てようやくイデオロギーの時代となり、主流は個人主義と自由主義を土台とする営利の時代に移ってはいても、社会の深層心理に宗教は生き続けていますね。アメリカでの異様な禁煙ブームは魔女狩り的な臭いがします。

渡邉　ポリティカル・コレクトネス（政治的正しさ）もそうですね。もっともトランプ大統領はそれを打破しようとしてます。

普遍主義より多元主義

日下　現実的なトランプ＝ビジネスマンとしてのトランプですね。大事な視点です。それから一神教としてのキリスト教の根本にある普遍主義（あまねく行きわたるべし）にも注意が必要です。自分たちのやり方が一番いいのだから、みんなもありがたがるべきだという狂信はいっこうに崩れてません。

戦前の植民地主義がいい例です。これは経済行為の根っこにまで入り込んで日下も膨張拡大中です。他国からしたら迷惑このうえない。

それをかつては「イギリス・クラブ」今は「アメリカ・クラブ」と呼んでいます。

日本は戦前は「イギリス・クラブ」に初めは抵抗し、ついでドイツとイタリアと一緒に仲間入りしようとしたが、結局は入れてもらえませんでした。

戦後は「アメリカ・クラブ」の一員と経済第一主義でやってきましたが、クラブの一員とみなすには大きくなりすぎてアメリカから文句を言われた。それが貿易摩擦です。今は中国がそれに反発しているわけですが、私が「日本クラブ」をというのは、欧米の普遍主義そのものに限界を見るからです。

確かに「イギリス・クラブ」も「アメリカ・クラブ」も大成功したことは事実です。しかし普遍主義というのは他国の固有の文化を認めません。端的にいえば、「鯨は食うな牛ならもっと食え」の世界です。多神教の日本人は普遍主義ではなく多元主義で行くべきだというのが「日本クラブ」の入会規則であり、この日本のやり方が浸透したほうが世界にとっても幸せだと考えるからです。

渡邉　ほとんど報じられていないですが、二〇一四年米国下院に「ジャパン・コーカス」という超党派議連ができました。これは日本側からの働きかけに六二名もの超党派の下院議員が賛同したものであり、日本の米国ロビイの要となるものです（https://www.worldtimes.co.jp/photonews/14579.html）。

本質的には、戦後、約七十年近く同盟国でありながら議連すらなかったことが問題だったといえますが、日米の議員間交流も前に進みだしています。

また、中東の火薬庫であるイスラエル・パレスチナでも、日本政府は日本独自の協力として、「平和と繁栄の回廊」を行っています。これは紛争地域であるパレスチナで共同の産業を育成するというものであり、日本政府が主導する形で、ジェリコ農産加工団地（ＪＡＩＰ）やパレスチナ工業団地、フリーゾーン庁（ＰＩＥＦＺＡ）の工業団地などインフラと環境整備をするというものです（https://www.jica.go.jp/oda/project/1300452/index.html）。

宗教的対立があっても、ビジネスでの共益関係を生み出すことで、衝突を防ぐとともに話し合いの機会を作るというものです。

日本の宗教勢力は社会学の現象

日下　日本がとるべき道ですね。江戸時代からだいぶ住みよい日本になってきましたが、それでも精神主義が残っています。そこで政治に宗教が入ったり、宗教に政治や経済が入ったりしています。日本の宗教団体は企業に近い、つまり宗教学の現象というよりは社会学の現象としての色合いが濃いです。それから宗教の本来のよさは創始者の「教え」にありますが、それだけでは宗教は後世に残らない。創始者の「教え」を残し、維持していくためには、宗教団体を組織しなければなりません。

たとえば浄土真宗も親鸞《しんらん》（一一七三〜一二六三）の言うとおり「弟子一人持たず」を守っていたら今のような発展はなかった。蓮如《れんにょ》（一四一五〜一四九九）が出てきて戒律を作り、強力な宗教団体を結成したので、浄土真宗株式会社とも呼ぶべき大企業が維持できたのです。つまり、親鸞が「教え」説いたことは宗教現象でも、蓮如が再組織した浄土真宗は宗教団体という社会現象です。

日本では、こうした宗教団体に典型的に見られる「集団発展の原理」とノウハウを会社が取り込んできた経緯があります。

社歌、社旗、制服を作り、朝礼をはじめとして各種の社内行事、イベントを行うのも、戒律による集団支配の一種で宗教団体と似ています。じっさい、伊勢神宮へ行って水につかったり、山寺で座禅を組んで滝の水を浴びたりする会社もあります。団結を強いる会社は「宗教的」と評されます。

もちろん集団が成功し存続するためには、最高目的、規律、行事、中心権力、階級制度、表彰、追放などが必須で、それは宗教でも会社でも国家でも同じ。ですが、それをやりすぎるとかえって社会から嫌われます。ことに日本はそうです。

キリスト教が日本に入ってから四世紀半たっても入ってきた当初と同じ信者数しかいないのは、そのためです。一神教的な純粋さが強かったためで、キリシタン弾圧のせいでも、仏教や神道が根を張っているからでもないと私は考えております。

一神教とは戒律により食べられないものが多いですが、日本では、毎年必ずお盆には帰省してお墓参りをする「仏教信者」（？）でもその後に焼肉屋へ行きます。誰一人これをとがめたりしません。

厳密にいえば仏教徒ならば精進料理以外は食べられないはずですが、米国からの牛肉輸入拡大を「値段が下がる」と大歓迎した。何事を行うにしても宗教を考えずにすむ日本は世界でも珍しい国家です。神仏混交の伝統は千年以上もあり、日本人には常識でも、宗教に縛られている外国の人たちには理解ができないことです。

渡邉　ですから、宗教に縛られない日本の社会はその点、非常に効率的だといえるのだと思うんですね。

日下　そうです。宗教は社会と切り離して個人の心の問題に限るという日本的な考えはいいことだと思います。

覇権主義で動く世界

渡邉　戦後日本人にわからないのが「世界は覇権主義で動いている」という常識です。アメリカ・ファーストを唱えるトランプ大統領や中国の台頭でようやくそれに気づき始めた人が増えてきましたが。

日下　国民はともかく政府がそれでは困るよね。かつて日本が中国と日中平和条約を結ぼうとした際、中国側が強固に主張したのが、あらゆる国の覇権主義に反対するという意味での「覇権条項」を入れることで、それを条約に盛り込んだらソ連が怒った。日本政府からすれば、「すべての覇権主義に反対しているからいいじゃないか。そんなことで怒るならあなた方は覇権主義の誹《そし》りを免れませんよ」と伝えると「覇権主義のどこが悪い」と切り返されて二度びっくりしたことがあります。覇権する能力もない日本が生意気言うなと叱られた（笑）。

日本も戦前は覇権主義で世界を牛耳ろうとした時期があったんですがね。私の記憶では昭和十六、十七年のたった二年間ですが、「もしかすると日本が世界に君臨する」かもしれないと感じたものです。

渡邉　今の日本では考えられません。それどころか軍隊さえ認めていない。いまだに日本では自衛隊は軍隊ではないというのが憲法で守られていますから。

日下　日本人は戦前を誤解していると前に述べましたが、もともと大正、昭和期は軍人が白眼視された時代であったことを知らないと思いますよ。

ですから、現在の防衛省の制服組と同様、通勤時は私服に着替えていたのです。なぜそうかというと、日清、日露の両戦争に勝ったあと軍人が威張りすぎたので、その揺り戻しがきたのです。

日本陸軍は大正時代以来、そのように国内に虐げられた反動で、何とか日本を占領したいと願っていた。日本陸軍が一生懸命に戦争をしかけたのは、実は日本という国家だったわけで、腐敗した政党政治を撲滅し、大蔵省から予算を分捕り、日本国に君臨して軍人グループが幸福になる。

　そのための口実が対中国戦争で、その行く先が国家的覇権主義だったのです。だから日本は自衛隊を除け者扱いにするのは思いもよらぬ反動がくるからやめたほうがいい（笑）。

渡邉　東日本大震災での活動により自衛隊は国民に愛されているから大丈夫だと思います（笑）。それはともかく、国家だけでなく世界のグローバル企業も覇権主義で動いているんですね。ＧＡＦＡはその典型です。シェアを奪い市場を独占し支配する。プラットフォーマーとはそうした存在なのです。逆にいえば世界は日本の国家や企業を「覇権主義」的に見る。そのことを自覚していないと思わぬところで敵ができたり批難を受けたりしかねません。

日下　そうですね、日本は結果的にシェアを奪ったとしても覇権主義というよりはいい商品を作りたい、いいサービスをしたいという「企業魂」がそうさせるのでしょう。そこは大きな違いですね。

それから私が心配なのは、日本人が企業的経済的な勝利にすぎないものを、国家的勝利や民族的勝利にしてしまわないか、ということです。これは覇権主義的気分といったようなものです。

覇権主義にこだわる人たちは世界を二つに分けて考える傾向があります。たとえば戦勝国と敗戦国というように。東西冷戦時代には東と西とに分けられ、朝鮮動乱で日本はたまたま準西側にしてもらいましたが、その役割はマッサージ屋か弁当屋で、絶対的プレーヤーではありませんでした。ところがこの区別もわからない日本人が実に多かったのですね。

日本が覇権主義になる必要はないし、世界から覇権主義がなくなったほうがいいですが、それとじっさいの世界が覇権主義で動いていることとは違いますから。

日本語を知れば世界の本が読める

日下 今の人たちはそのありがたさに気づいていないでしょうが、日本人というのは昔から偉かったという何よりの証拠が、外国の文献はほとんど日本語に翻訳されていることです。

日本人なら日本語が読めて当たり前ですから、世界中の知識が母国語で身につけられる。何を今さらと言うかもしれませんが、実は近代国家でこれを達成した国はほぼ日本だけでしょう。

毛沢東《もうたくとう》が死んで華国鋒《かこくほう》に実権が移ったころの中国で、私は招かれて社会科学院や北京大学の要人たちと話をしたことがあります。そのとき、こう言いました。

「日本では社会主義思想をドイツ語で勉強する人もいたが、日本語への翻訳が完璧だったので、たいていは日本語で学習できた。あなた方はその日本人がした翻訳の力に助けられて勉強しているのです。上海では革命委員会の幹部が私を『模範的な共産党員の自宅』へ案内してくれたが、そこの書棚にある中国語のマルクス・エンゲルス全集などの漢字の学術用語は全部日本人が作ったものですよ。全国人民代表大会などで使われる用語は大半が和製漢字です」

明治維新後、政府はとてつもない高給を支払ってお雇い外国人を招きました。条約改正を実現するために「日本にはフランス語のできる人がいます、ドイツ語のできる人がいます」と公言するために急速に学ばなければならない事情があったからです。言葉が通じるということだけでなく、当時最先端だったヨーロッパの思想を日本が習得しているということを示すためにもそれは必要でした。

言うなれば一日も早く翻訳をするためにお雇い外国人を入れた、ということです。そのためには多少生煮えであっても、専門用語を次々と即席で和訳していく必要があったのです。そうして世界中の本が日本語に訳された結果、日本語が読めれば世界の思想、潮流すべてが理解できるようになりました。

日本はそうやっていち早く近代化に成功したのですが、外国人の三倍や五倍は勉強したことは確かでしょう。

最近になって、外国のキャッチアップばかりするな、などと言うことをしたり顔で言う人が多くなりましたが、明治以降の日本人がどれほど必死になって勉強したかということを思い出してみたほうがいい。当時の貧しい日本がお雇い外国人に目玉の飛び出るほどの高給を払っていた理由には、優秀な教師を得る以外の別の意味もありました。高給のお雇い外国人を一日も早くクビにするために国内の人材に対しはっぱをかけたのです。

渡邉　専門分野を母国語で学べるかどうかは、近代国家が成功するか否かの大きな分岐点だと言いますね。

今の中国のように、技術の上澄みだけを手っ取り早く手に入れるべく、世界から技術者を引き抜いたり、技術を盗んだりしている国とはどだい精神が違うのでしょう。精神の伴わない技術などどうせ十年もすれば時代遅れになり、恐れるに足りない。基礎技術を母国語で学んだうえで、発展技術を自ら生み出さないことにはどうしようもないのです。

「金を儲けてから勉強する」という価値観

日下　本当にそう思います。マレー大学の学生と話していたとき、こんなことがありました。

マレー大学というのはイギリス風で、午後のお茶の時間になると私のようなゲストスピーカーに「何か喋《しゃべ》ってくれ」と言ってきます。

私は教授たちに「どこの大学を出てきたのか」と聞くと、みんながみんな「イギリスの大学を出てきた」と答えた。それがどうした、という顔をして堂々と答えるのでここは一つ、釘を差しとかないといけないと思って言ったのは、

「英語の本をいくら読んだって他国の悪口ばかりしか書いていない。イギリスが一番だと

しか言っていない。そこへいくと日本語の本はいいですよ、日本語一つ覚えればギリシャ哲学から最新の科学まで何から何まで全部翻訳されている。どうか皆さん、日本へ来て「日本語で世界中の本を読んでみてください」と。

翻訳された本の多さから言っても、世界で一番優れた言語は日本語である、と私は思っているのです。日本の悪口も日本語の本にはたくさん書かれている（笑）。ここがまた英語圏の国と違うところと言えるでしょう。

私が子供のころに、年上の人が買い集めてくれた日本語の本は今から思えば欧米よりレベルが高かった。そういう本を知らず知らずのうちに読んでいました。

親戚の一人が「お前は本が好きらしいな。勉強がしたいらしいな」と言われたのですが、そのときに「でもまず金を儲けて、それから勉強しろ。それからでも十分勉強する時間はある」。「貧乏な人の勉強は何となくいやしい」とも言いました。その言葉が私の頭のなかに残っていたのですが、考えてみると江戸や大阪の学者たちはまさにそういう生活をしてから、中国、インド、チベットの世界観や人間観を含めて医学を勉強したのでした。

脱グローバリズムは日本が先導

日下　今、大学に行って良い成績を取るということは、すなわちアングロサクソン流の理屈を学ぶということで、これを突き詰めていくと、いかに日本人離れができるかということでもあります。

アングロサクソン流の理屈がこの世界にはあるということを学ぶのは無駄なことではありませんが、日本流の発想に戻ることができるかということも大切です。日本の良さや素晴らしさを十分にわかったうえで、海外に学ぶという姿勢が望まれます。それも知らずに、海外かぶれして上っ面だけ学んだ気になっても、実は役に立たないということにそろそろ気づくころではないでしょうか。

ユニバーシティに工学部（エンジニア）を設けたのは日本が最初でしたから、昔のほうが賢明だったとも言えます。ユニバーシティはユニバース（宇宙）について考えるところでした。手足を動かさずとも考えることができるとギリシャ人が思ったのは、奴隷が人口の半分もあったからでしょう。

日本の伝統の良質な部分に接《つ》ぎ木する形で、諸外国の価値観を柔軟に受け入れて、さらに上を目指す。そうして実現できたのが、戦後の奇跡的な高度経済成長であり、美しく豊かで明るい、国民生活の実現ではないでしょうか。

整った街並みもその成果なら、可能性を秘めた日本の子供たちもその成果です。

世界は脱グローバリズム方向に舵《かじ》を切りつつあるのは間違いのないことですが、その先導役は日本が務めるはずです。進駐軍が乗り込んできてあれだけの大改革を図ったのですが、日本は自国に内包する良き部分、他の何にも侵されない良き伝統を棄損することがなかった。この経験は、グローバリズムの桎梏《しっこく》から逃れようと模索している国々にとって、素晴らしい希望であることは確かでしょう。

渡邉　日下先生、対談を快くお引き受けいただき本当にありがとうございました。

若手だと思っていましたが、気がつくと私もすでに五十歳、歴史を見据えた大局的な話をお伺いできる方がいなくなってしまいました。

今回の先生との対談は、非常に有意義であり、期待以上のものでした。そして、わが国日本を改めて見直すよい機会になりました。

今、世界と日本は歴史の端境期にあるのだと思います。そして、この先を見据えるには先人の知恵を借りることが一番だと思っています。ぜひ、またお知恵を拝借させていただければ幸いです。

「愚者は経験に学び、賢者は歴史に学ぶ」といいます。

ただし、文化や風習はその土地の経験則により生み出されたものも多く、それはその土地の最適解であることも多い。なぜならば歴史の淘汰《とうた》を経て生き残ったものであるからです。

日本は世界にではなく、まずは自分自身に目を向けることこそが重要なのだと思います。

おわりに　日本が世界のリーダーになる理由

世界各国は日本より一段か二段か文明・文化が遅れていると仮定してみると新しい世界が見えてくる。

たとえば国家の主権とその範囲が確立していないところは方々にある。

中国の奥地とか、シベリアとか、南米とか、難民の流入に困っているヨーロッパやアメリカの一部とかで、そうした地域の国家には第二種国家とか、第三種国家とかの扱いを考える必要がある。

国民を持つ資格がない国家とか、国家を持つ資格がない国民とかもある。そういう人々をふるいわけるための新しい国連ができるかどうか。と、考えてみると面白い。たとえばホワイト国に扱われたければホワイト会の会費を納めねばならないとか、国家全体が清潔か不潔かの資格試験に合格しなければいけない——とかだが、それと同じことを言う台湾の人がいた。

日本人に帰化してみると世界中どこに行っても大歓迎で正に一等国民の扱いを受けることができたので驚いたという（日本の赤いパスポートは高価で売れるらしい）。良い国を作れば良い国民が集るらしく、悪い国には悪い国民が集る。それはいずれ住み心地の差になって現れ、続いては土地価格や住宅価格や物価や賃金の差になって現れる。国境を越えた住民の移動にも現れる。いわゆる難民問題だが、それは国の良否に関する国民の〝足による投票〟である。それが恐い国は住民の移動を禁止する法律を作る。

実にシビアなもので駅にゆくとまず出国許可証の提示を求められる。中国旅行では何度も経験した。ちょうど〝北国の春〟という歌が流行した頃で駅で聞き、車中で聴き何度も聴くうちにすっかり覚えた。サントリーの佐治敬三《さじけいぞう》社長が今度青島《チンタオ》のビール工場を買うべく中国へゆくと言うので〝北国の春を中国語で歌えば大拍手ですよ〟と教えて上げたら、ホントに大拍手だったそうだ。もともと歌がうまかったのだが、ともかくあの頃は日中友好はすぐにも実現するように思えた。

その後、日本の服を着て町を歩くという〝哈日族《ハーリーズ》〟や〝精日〟の出現という流行もあった。中国人はどこまでホンキなのか、今に国家が命令して一夜にして消滅という流行ではないかと考えながら見ていたが、アッと驚いたのは、

〝精日は交通信号を守る〟

と書く新聞があったことである。

それは素晴らしい、それならホンモノだと考えたが、やっぱり大弾圧があった。中国共産党の偉い人もホンモノの気配を感じたので弾圧したのだと思う。

中国は何事も政治であり、政治は権力で権力は弾圧する。弾圧が成功すれば権力はやがて腐敗する。国民は逃散すると想像は広がるが、中国の歴史は簡単でそれがだいたい四百年の周期で繰りかえされる。

今は逃散の時期で共産党自身が逃散のために国家の権力を使っている。

〝歴史に学べ〟

とはこういうことか、と思うが、日本人とは何か、という問題もあって、そう容易ではない。

日本の教育は何を教えているのか、という問題もある。日本の子供は何を信じているか、という問題もある。

渡邉先生は明るく朗《ほが》らかに話されるが、本当は何でもわかっていられるのではないかと以前から思っている。

それから、日本の若い人も同じである。

東大は世界のランキングでどのくらいか、という特集をまだやっている新聞があるが、若い人はどんどん外国の大学や予備校に行っている。

昔、予備校選びで、学校別でなく、先生別に選ぶ話があったようなもので、日本の若者は世界の学者を先生別に選び始めている。そしてiPS細胞の山中伸弥《やまなかしんや》先生のように手紙を出すのである。学校は南カリフォルニア大学でもどこでもよい。行ってみればわかるが砂漠の中の周りには何もないようなところだった。

大学に入るとはキャンパスや図書館に入るのではなく良い先生につくために行くのである。

だが、そういう学生を集める学校もあるし、また単に名前で集めるところもある。

〝大学は産業だ。イギリスはそれでゆく〟

というところもあって、行ってみたら日本人の浪人学生ばっかりだったので大いに未来性を感じたとも言える。ソルボンヌ大学ももともとは学生が先生を選んでいたのである。

もともと大学より先生であり、友人である。イギリスの貴族は勉強しないで友人を作る。電話一本でホントのことを教えてくれる友人をたくさん作るために大学へゆくらしい。

これから世界のまとめ役となる日本の未来もそこにあると思う。

渡邉先生とビジネス社の皆様、この本を作る機会を有難うございます。

令和二年一月

日下公人

[略歴]

日下公人（くさか　きみんど）

評論家

1930 年、兵庫県生まれ。日本財団特別顧問。多摩大学名誉教授。三谷産業株式会社監査役。日本ラッド株式会社監査役。東京大学経済学部卒。日本長期信用銀行取締役、（社）ソフト化経済センター理事長を経て東京財団会長を歴任する。ソフト化・サービス化の時代をいち早く予見し、日本経済の名ナビゲーターとして活躍。未来予測の正確なことには定評がある。
著書に『新・文化産業論』（東経選書）、『日本既成権力者の崩壊』『新聞の経済記事は読むな、バカになる』（ビジネス社）、『「発想」の極意——人生 80 年の総括』（徳間書店）、『「情の力」で勝つ日本』（PHP 新書）他多数。

渡邉哲也（わたなべ・てつや）

作家・経済評論家

1969 年生まれ。日本大学法学部経営法学科卒業。貿易会社に勤務した後、独立。複数の企業運営に携わる。インターネット上での欧米経済、アジア経済などの評論が話題となり、2009 年に出版した『本当にヤバイ！　欧州経済』（彩図社）がベストセラーとなる。内外の経済・政治情勢のリサーチ分析に定評があり、様々な政策立案の支援から、雑誌の企画・監修まで幅広く活動を行う。
著書に『習近平がゾンビ中国経済にトドメを刺す時』『2019 年大分断する世界』『GAFA vs. 中国』（ビジネス社）、『～ 2021 年「世界経済リスク」入門』（徳間書店）、『韓国経済はクラッシュする』（悟空出版）他多数。

世界は沈没し日本が躍動する——最強の日本繁栄論

2020年 2 月15日　　　　第 1 刷発行

著　者　日下公人　渡邉哲也

発行者　唐津 隆

発行所　株式会社ビジネス社

〒162-0805　東京都新宿区矢来町114番地 神楽坂高橋ビル5F
電話　03(5227)1602　FAX　03(5227)1603
http://www.business-sha.co.jp

〈装幀〉大谷昌稔　〈本文組版〉メディアネット
〈印刷・製本〉中央精版印刷株式会社
〈編集担当〉佐藤春生　〈営業担当〉山口健志

ISBN978-4-8284-2159-9

ビジネス社の本

GAFA vs. 中国

定価　本体1300円+税
ISBN978-4-8284-2061-5

世界支配は「石油」から「ビッグデータ」に大転換した

渡邉哲也……著

世界市場を制覇する巨大「プラットフォーマー」GAFA（グーグル・アップル・フェイスブック・アマゾン）と超監視国家・中国の「ビッグデータ」争奪戦が始まった。
米中貿易戦争が全面対決を迎えるさなかにもGAFAは中国市場を狙い、欧米はGAFAの規制に走る。二大大国米中と巨大企業GAFAが席巻する世界激変に日本が生き抜く道を提言。

本書の内容

序　章　米中冷戦復活、データ覇権の世紀
第1章　中国vs.GAFAデータ覇権
第2章　米中貿易戦争は全面戦争へ
第3章　中国排除に動き出した世界、対応を迫られる企業
第4章　ヨーロッパ・中東の危機
第5章　世界激変、どうする日本